TROUBLES
INTESTINAUX

MODUS VIVENDI

IMPORTANT

Ce livre ne vise pas à remplacer les conseils médicaux personnalisés, mais plutôt à les compléter et à aider les patients à mieux comprendre leur problème.

Avant d'entreprendre toute forme de traitement, vous devriez toujours consulter votre médecin.

Il est également important de souligner que la médecine évolue rapidement et que certains des renseignements sur les médicaments et les traitements contenus dans ce livre pourraient rapidement devenir dépassés.

© 2006 Family Doctor Publications, pour l'édition originale.
© 2010, 2014 Les Publications Modus Vivendi inc., pour l'édition française.
© Pablo Hidalgo l Dreamstime.com, pour l'image de la page couverture.

L'édition originale de cet ouvrage est parue chez Family Doctor Publications sous le titre *Understanding your Bowels*

LES PUBLICATIONS MODUS VIVENDI INC.
55, rue Jean-Talon Ouest, 2e étage
Montréal (Québec) H2R 2W8
CANADA

www.groupemodus.com

Éditeur : Marc Alain
Design de la couverture : Gabrielle Lecomte
Infographie : Modus Vivendi
Traduction : Ghislaine René de Cotret

ISBN : 978-2-89523-835-5

Dépôt légal – Bibliothèque et Archives nationales du Québec, 2014
Dépôt légal – Bibliothèque et Archives Canada, 2014

Nous reconnaissons l'aide financière du gouvernement du Canada par l'entremise du Fonds du livre du Canada pour nos activités d'édition.

Gouvernement du Québec — Programme de crédit d'impôt pour l'édition de livres — Gestion SODEC

Imprimé en Chine

TROUBLES
INTESTINAUX

Dr KEN W. HEATON

MODUS VIVENDI

Table des matières

L'auteur

Le **Dr Ken W. Heaton** était jusqu'à récemment conférencier en médecine à l'Université de Bristol, en Angleterre, et médecin-conseil honoraire au United Bristol Hospital Trust. Il s'intéresse principalement à la fonction intestinale et à la nutrition. Il a présidé de nombreux comités à l'échelle nationale et a rédigé près de 300 documents scientifiques.

Introduction

Un sujet tabou

Vous êtes-vous déjà demandé pourquoi le mouvement intestinal et les fèces sont des sujets tabous ? Il y a plusieurs raisons à cela. Dès la petite enfance, l'individu est conditionné à voir les excréments comme malpropres, dégoûtants, voire dangereux; il apprend que les fèces sont des choses dont il faut se débarrasser le plus rapidement possible.

Tabous
sociaux
du XXᵉ siècle

La défécation, dans la culture occidentale, est une malheureuse nécessité que chacun garde pour soi. Quant aux organes qui produisent les fèces, les gens préfèrent éviter d'y penser; et s'ils s'en préoccupent, ils perçoivent la défécation comme mystérieuse, imprévisible et plutôt disgracieuse.

Pourquoi en est-il ainsi ?

Certaines de ces croyances et de ces attitudes sont fondées. Les fèces sont en général malodorantes, parfois même nauséabondes. En outre, elles peuvent transmettre des maladies d'une personne à une autre. L'acte de déféquer manque de dignité, doit se faire en privé et est parfois douloureux. Le côlon et le rectum, producteurs des excréments, sont des organes peu connus – peut-être même les moins compris de l'organisme. Et qui n'a jamais ressenti d'embarras à laisser échapper un vent en public ?

Un regard différent

Le dégoût et la réticence sont parfois exagérés. Les fèces et les vents n'ont pas toujours une mauvaise odeur, l'odeur dépendant dans une bonne mesure de l'alimentation. Les fèces ne sont des vecteurs de maladies que lorsque les gens omettent de se laver les mains ou que les eaux d'égout infiltrent les sources d'eau potable. La défécation n'est pas forcément douloureuse. Les connaissances sur les intestins se sont multipliées au cours des dernières années et les médecins peuvent maintenant diagnostiquer et soulager ou guérir presque tous les troubles intestinaux.

Problèmes intestinaux

Les troubles intestinaux sont extrêmement courants. En fait, la plupart des gens souffriront d'une perturbation de la fonction intestinale ou d'hémorroïdes, ou des deux, à un moment ou à un autre. De manière générale, une personne sur cinq éprouve un inconfort intestinal, et une personne sur quarante contractera un cancer de l'intestin.

L'alimentation et le mode de vie ont un effet considérable sur le fonctionnement intestinal. Le présent ouvrage a pour but d'expliquer le fonctionnement des intestins : il contient de l'information qui vous aidera à maintenir votre régularité et vous indiquera quoi faire si vous avez des problèmes. Vous trouverez un glossaire des termes médicaux aux pages 118 à 121.

Termes utilisés

La définition du mot « intestins » est vaste et peut référer à différents organes selon les cas. Le terme « intestins » désigne parfois à la fois le gros intestin, ou le côlon, et l'intestin grêle. Et fréquemment, comme dans ce livre, il se limite au gros intestin, ou au côlon, qui est le dernier segment du tube digestif.

Mouvements intestinaux

Lorsque les gens parlent d'« aller au petit coin », de « se soulager » ou d'« aller à la selle », ils essaient de parler poliment de cette activité innommable qu'est la défécation. Les médecins parlent indifféremment de selles, de fèces et de mouvement intestinal. Étrangement, les gens utilisent rarement ces termes dans leurs conversations courantes; la plupart préfèrent faire appel à des périphrases indirectes.

Flatulences

Les gaz intestinaux qui s'échappent du rectum portent le nom de flatulences. Ils ont divers synonymes qui les désignent bien, mais ces mots, par exemple « pets », sont jugés peu acceptables dans une conversation polie. Il

nous semble approprié toutefois de parler de l'évacuation ou du passage de gaz intestinaux.

POINTS CLÉS

■ Dès la petite enfance, l'individu est conditionné à voir les excréments comme malpropres, dégoûtants, voire dangereux.

■ Les troubles intestinaux sont extrêmement courants. De manière générale, une personne sur cinq éprouve un inconfort intestinal.

■ L'alimentation et le mode de vie ont un effet considérable sur le mouvement intestinal.

Petit guide
sur les intestins

Gros intestin

Le gros intestin comprend le côlon, le rectum et le canal anal (voir l'illustration à la page 13). Le côlon prend naissance juste au-dessus de l'aine droite; à cet endroit il porte le nom de cæcum. L'appendice en émerge. Il se poursuit avec le côlon ascendant, qui va jusque sous les côtes à droite, le côlon transverse, qui traverse la cavité

intestinale de droite à gauche, et le côlon descendant, qui descend vers le rectum après un angle droit. Le gros intestin forme ensuite une curieuse courbe, le côlon sigmoïde (nommé d'après la forme de la lettre grecque sigma Σ) avant d'aboutir au rectum.

Parties de l'intestin

Les aliments dans l'estomac sont acheminés à travers l'intestin grêle jusqu'au gros intestin. Ils passent à travers le côlon ascendant où ils fermentent, puis à travers le côlon transverse, où l'eau et le sel en sont retirés. Les déchets sont alors stockés dans le côlon descendant et le côlon sigmoïde avant de passer dans le rectum, puis dans le canal anal et hors de l'anus lors des selles.

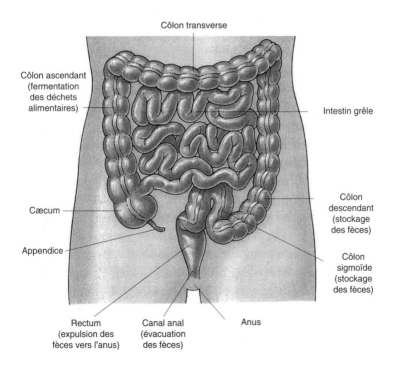

Côlon transverse

Côlon ascendant (fermentation des déchets alimentaires)

Intestin grêle

Côlon descendant (stockage des fèces)

Cæcum

Côlon sigmoïde (stockage des fèces)

Appendice

Rectum (expulsion des fèces vers l'anus)

Canal anal (évacuation des fèces)

Anus

Le mot « rectum » vient d'un mot latin qui signifie « droit ». Pourtant, il trace une courbe prononcée vers l'arrière juste avant sa jonction avec le canal anal. Il se redresse toutefois lors de l'évacuation des selles et agit alors comme un tube conduisant les fèces vers l'extérieur depuis le côlon sigmoïde.

À proprement parler, c'est le canal anal qui effectue la dernière partie du travail. Cependant, puisqu'il ne mesure qu'environ 2,2 cm (1 po) de longueur, sa fonction consiste essentiellement à retenir les fèces et les flatulences jusqu'à ce que la personne décide de les évacuer. À l'exception de la gorge, le canal anal est le seul organe de l'appareil digestif qu'on peut consciemment contrôler. La gorge et le canal anal possèdent des muscles semblables à ceux des bras et des jambes.

Les fibres musculaires du canal anal forment un système de fermeture en deux parties. D'abord, il y a une série de fibres musculaires en forme d'anneau dans la partie supérieure du canal. Lorsque ce muscle se contracte, il tire vers l'avant et maintient ainsi fermé l'angle à la jonction du rectum et de l'anus. Simultanément, il exerce une pression qui rapproche les parois antérieure et supérieure du canal l'une de l'autre. Ensuite, il y a un anneau de fibres qui rétrécit l'orifice du canal par contraction.

Les deux jeux de fibres se contractent doucement en tout temps sans effort conscient de la personne (comme plusieurs autres muscles de l'organisme). Il faut relâcher ces muscles afin de déféquer ou de laisser échapper des flatulences, ce que certaines personnes trouvent difficile à faire.

Muqueuse intestinale

Entre la paroi musculaire et la cavité à l'intérieur des intestins (le lumen) se trouve une très importante membrane. Dans le canal anal, il s'agit simplement de peau, mais sous cette peau il y a des amas d'une substance spongieuse semblables à des coussins. Le reste des intestins est recouvert d'une délicate membrane muqueuse.

Cette muqueuse fragile a la lourde tâche de bloquer l'accès aux éléments nuisibles comme les bactéries et les virus tout en laissant passer dans la circulation sanguine des substances essentielles comme l'eau et les sels, que l'organisme d'une personne ne peut se permettre de rejeter dans les selles.

C'est là un tour de force. Si la muqueuse absorbe trop d'eau, les fèces deviennent dures et difficiles à évacuer. En revanche, si elle n'en absorbe pas assez, les fèces sont liquides et abondantes, et les muscles anaux ont de la difficulté à les retenir. Dans un cas, la personne souffre de constipation et dans l'autre, elle est victime de diarrhée et d'incontinence.

Mouvement intestinal

Les muscles intestinaux sont presque toujours actifs; ils se contractent brièvement à quelques secondes d'intervalle dans de courtes sections de l'intestin. Ces contractions réduisent le diamètre de l'intestin et poussent son contenu vers les sections qui sont au repos. Ces mouvements de va-et-vient brassent le contenu de l'intestin afin d'accroître son exposition à la muqueuse et d'assurer une absorption maximale des sels et de l'eau.

Fonctionnement des muscles intestinaux

En se contractant, les muscles de la muqueuse intestinale déplacent le contenu de l'intestin. Il se crée un mouvement de va-et-vient en raison de l'alternance entre la contraction et la relaxation. Lorsque les contractions surviennent l'une après l'autre le long de l'intestin, comme une vague, le contenu se déplace peu à peu vers le rectum. Cela ne dépend pas de la force des contractions, mais du fait qu'elles poussent toutes dans la même direction, vers le rectum.

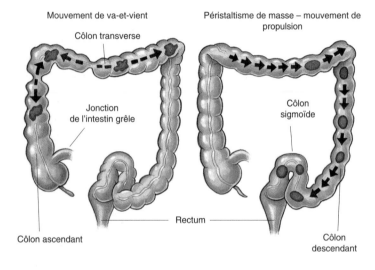

Mouvement de va-et-vient

Côlon transverse

Jonction de l'intestin grêle

Côlon ascendant

Péristaltisme de masse – mouvement de propulsion

Côlon sigmoïde

Rectum

Côlon descendant

De temps à autre, une vague de contractions parcourt tout le côlon, ce qui permet de pousser le contenu de l'intestin vers le rectum. Ce phénomène est le péristaltisme de masse et survient souvent aux repas, surtout au petit déjeuner. C'est pourquoi beaucoup de gens doivent déféquer après leur petit déjeuner. Chez d'autres, le péristaltisme de masse s'effectue dès le lever du lit. Prendre un thé, un café ou fumer une cigarette peut avoir le même effet.

Sensations

Les personnes les plus chanceuses n'éprouvent de sensations au niveau de l'intestin qu'au moment où elles doivent déféquer ou laisser échapper des flatulences. Dans les deux cas, il s'agit de signaux indiquant que le rectum reçoit des substances du côlon sigmoïde. Étonnamment, il est possible de savoir si ces substances sont solides, liquides ou gazeuses. On pense que des senseurs miniatures situés à l'extrémité supérieure du canal anal permettent de faire cette distinction.

Beaucoup de gens sentent des frétillements dans leur abdomen lorsque des gaz passent d'une partie du côlon à une autre. Ils peuvent parfois entendre des gargouillements. D'autres personnes, en revanche, éprouvent un inconfort, à l'occasion de la douleur, lorsqu'elles doivent déféquer de façon urgente, par exemple si les fèces sont plus molles qu'à l'habitude. Toutes ces sensations sont normales jusqu'à un certain point.

De l'inconfort et de la douleur au niveau du côlon sont très courants chez les gens en bonne santé (voir « Syndrome du côlon irritable » à la page 73). Ces malaises soulignent habituellement que l'intestin se contracte fortement, mais ils peuvent aussi indiquer qu'il est devenu plus sensible pour une raison donnée.

Bactéries : amies ou ennemies ?

Une caractéristique du gros intestin est qu'il contient une grande quantité de bactéries. Il ne faut pas s'en inquiéter, car ces bactéries sont pour la plupart inoffensives.

Certains animaux, notamment les herbivores, ont besoin de leurs bactéries intestinales pour survivre. L'herbe qu'ils consomment leur est inutile à moins que les bactéries la fassent fermenter. Les bactéries du gros intestin ne sont essentielles à aucune des fonctions vitales humaines, mais il n'y a pas lieu de s'inquiéter de leur grand nombre.

Ces bactéries jouent le rôle de charognards, se nourrissant des restes d'aliments non digérés, de mucus et des cellules mortes qu'élimine la muqueuse intestinale du côlon. Elles sont aussi à blâmer pour les flatulences évacuées par le rectum.

Des études menées en laboratoire montrent que les animaux n'ayant pas de bactéries intestinales sont plus sujets à la maladie; autrement dit, les animaux exempts

Bactéries intestinales

Les bactéries du côlon ont une mauvaise réputation, non pas à cause des flatulences qu'elles produisent, mais pour l'une des raisons suivantes :

- En cas de blessure ou de maladie, si les bactéries atteignent d'autres parties de l'organisme, elles peuvent causer des infections comme la cystite.
- En cas de mauvaise hygiène, les bactéries du côlon d'une personne peuvent se retrouver dans la nourriture ou la boisson d'une autre personne et causer une gastroentérite. La diarrhée du voyageur est un exemple courant.
- On pense qu'une partie des substances chimiques libérées par les bactéries du côlon peuvent causer la maladie, en particulier le cancer du côlon et les calculs biliaires. Toutefois, cela ne s'avère que dans le cas d'une alimentation riche en calories et faible en fibres.

Certaines bactéries du côlon accroissent la résistance à la maladie, notamment les bactéries du yaourt. D'autres débarrassent le côlon des cellules mortes, du mucus et des restes d'aliments.

de microbes sont plus fragiles. Il est probable que ce soit aussi vrai pour les humains. Par conséquent, il est primordial de respecter vos bactéries intestinales et de ne pas les craindre. Certaines d'entre elles sont favorables, car elles protègent de la maladie, notamment les bactéries présentes dans le yaourt.

Mouvement intestinal : ce qui est normal

Le gros intestin et ses produits n'ont jamais été des sujets de recherche populaires. Il n'est donc pas étonnant que l'information scientifique dont on dispose à leur égard soit plutôt limitée. Toutefois, des études récentes menées au Royaume-Uni ont permis d'établir les faits et les données qui suivent.

La plupart des gens affirment déféquer une fois par jour. Cependant, lors d'une étude demandant de tenir un journal de l'activité intestinale, il est apparu que seulement 40 % des hommes et 33 % des femmes ont un mouvement intestinal toutes les 24 heures, et que 7 % des hommes et 4 % des femmes défèquent deux ou trois fois par jour. Ainsi, la plupart des gens ont une activité intestinale irrégulière. C'est vrai en particulier chez les jeunes femmes. Environ 10 % des femmes et 3 % des hommes vont à la selle deux ou trois fois par

Trajet des aliments dans l'organisme

La nourriture, une fois avalée, est acheminée à travers l'appareil digestif sous l'effet de contractions musculaires. Le temps que la nourriture
passe dans chaque partie de l'appareil dépend de l'étape de la digestion. Il dépend aussi de la quantité et du type de nourriture, et peut
varier de jour en jour. La digestion entière peut durer de 15 heures à
5 jours.

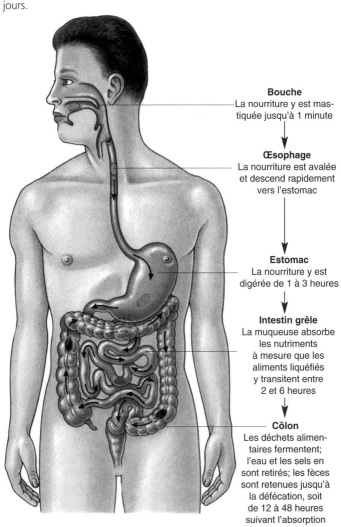

Bouche
La nourriture y est mas-
tiquée jusqu'à 1 minute

Œsophage
La nourriture est avalée
et descend rapidement
vers l'estomac

Estomac
La nourriture y est
digérée de 1 à 3 heures

Intestin grêle
La muqueuse absorbe
les nutriments
à mesure que les
aliments liquéfiés
y transitent entre
2 et 6 heures

Côlon
Les déchets alimen-
taires fermentent;
l'eau et les sels en
sont retirés; les fèces
sont retenues jusqu'à
la défécation, soit
de 12 à 48 heures
suivant l'absorption

semaine seulement. En outre, une femme sur 100 a un seul mouvement intestinal ou moins par semaine.

La durée moyenne du transit des aliments non digérés dans l'appareil digestif humain est d'environ 50 heures chez l'homme et de 57 heures chez la femme, bien que la digestion puisse durer aussi peu que 20 heures jusqu'à plus de 100 heures. Elle varie également d'un jour à un autre. La nourriture est dans le côlon la plus grande partie de ce temps (de 80 à 90 %).

Il est difficile de déterminer ce qui est normal et ce qui ne l'est pas. Certains médecins estiment que toute habitude intestinale sans inconfort ni douleur est normale. Cependant, chez les personnes qui vont à la selle seulement deux ou trois fois par semaine, il est probable que le transit des résidus alimentaires à travers le côlon soit tellement lent qu'il ait plus tard des répercussions sur la santé générale. Malheureusement, une défécation quotidienne ne garantit pas la santé. Il est possible d'aller à la selle tous les jours, mais d'avoir un transit intestinal tellement lent que les résidus sont expulsés avec quatre ou cinq jours de retard ! Le type de fèces donne un meilleur indice du temps d'évacuation que la fréquence des selles.

Types de matières fécales

Les matières fécales se divisent en sept types, selon l'échelle de Bristol (Bristol Stool Scale) ci-après, une échelle visuelle qui classifie les fèces en fonction de leur apparence. Le type 1 correspond aux fèces qui ont séjourné le plus longtemps dans le côlon et le type 7, à celles qui y sont restées le moins longtemps.

Les fèces en amas durs en haut de l'échelle sont difficiles à évacuer et exigent souvent de gros efforts. Au contraire, celles qui se trouvent en bas de l'échelle

Échelle de Bristol

Cette échelle montre les types de fèces les plus courants. L'idéal est le type 4.

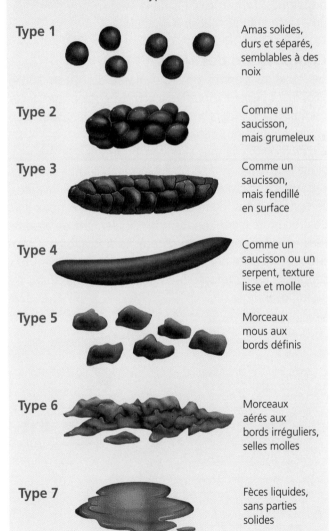

Type 1 — Amas solides, durs et séparés, semblables à des noix

Type 2 — Comme un saucisson, mais grumeleux

Type 3 — Comme un saucisson, mais fendillé en surface

Type 4 — Comme un saucisson ou un serpent, texture lisse et molle

Type 5 — Morceaux mous aux bords définis

Type 6 — Morceaux aérés aux bords irréguliers, selles molles

Type 7 — Fèces liquides, sans parties solides

sont molles ou liquides et peuvent être évacuées trop facilement – l'urgence d'aller à la toilette peut causer des accidents. Les fèces idéales sont celles des types 3 et 4, en particulier le type 4, qui glissent hors du corps sans problèmes. En outre, elles ne laissent pas la sensation qu'il reste quelque chose à évacuer.

Composition des fèces

Les fèces moyennes ont une masse d'environ 100 g (3,5 oz), qui peut toutefois varier. La couleur des fèces normale est toujours brune, et l'on ignore à ce jour d'où provient leur pigmentation.

Les fèces moyennes sont constituées de 75 % d'eau, laquelle est emprisonnée dans les bactéries et les cellules végétales non digérées. Les bactéries, certaines vivantes, certaines mortes, composent de la moitié aux deux tiers des fèces; le reste consiste principalement en résidus d'aliments végétaux non digérés (fibres alimentaires). Grâce à l'activité bactérienne, les fèces contiennent des centaines de composés organiques différents, mais en quantités infimes.

Mouvement intestinal idéal

Les caractéristiques mentionnées ici vont de pair avec les fèces de type 4 (voir « Échelle de Bristol » à la page 23).

- Le besoin de déféquer se fait sentir, sans être urgent.
- La défécation s'effectue une fois assis sur la toilette.
- Aucun effort conscient n'est nécessaire.
- Les fèces s'évacuent doucement et facilement.
- Un sentiment de soulagement suit la défécation.

Flatulences

On estime qu'une personne moyenne laisse échapper 12 flatulences en 24 heures. On s'est servi d'étudiants mâles aux États-Unis pour établir cette donnée. La situation peut cependant différer chez les personnes âgées et les femmes. Cela peut varier grandement d'une personne à une autre.

Ce qu'il reste à découvrir

Le manque de données scientifiques dans ce domaine du fonctionnement humain est incroyable. Nous n'avons aucune idée du nombre de fèces qui flottent ou qui coulent, ni du temps qu'une personne passe à déféquer. C'est une croyance répandue qu'il est normal et nécessaire de retenir son souffle, puis de pousser afin de déféquer. Néanmoins, des études récentes ont montré qu'une minorité de gens pousse ainsi pour déféquer, et que cela dépend du type, de la taille et de la consistance des fèces. Les fèces les plus difficiles à évacuer sont les petites boules et les gros amas durs. Il peut s'agir des types 1 et 2, ou parfois 3.

POINTS CLÉS

■ Les intestins – le gros intestin – comprennent le côlon, le rectum et le canal anal. Ce dernier est la seule partie de l'appareil digestif qu'une personne peut consciemment contrôler.

■ La muqueuse du gros intestin absorbe les liquides et les sels. Elle repousse les bactéries nuisibles et les virus.

■ En vue de favoriser l'absorption, les intestins brassent constamment le contenu intestinal en un mouvement de va-et-vient et vers le bas.

■ Les bactéries intestinales aident à combattre la maladie, même si elles produisent aussi les flatulences.

■ La fréquence de défécation fluctue grandement; la plupart des gens n'ont pas un cycle de 24 heures.

■ Beaucoup d'aspects des intestins demeurent inconnus, même pour la communauté médicale.

Facteurs qui agissent sur les intestins

Moment de la journée

Le meilleur moment de la journée pour vos intestins est l'heure qui suit le lever. Le fait de sortir du lit envoie un signal de réveil aux muscles du côlon. Ils commencent une série de contractions musculaires, le « péristaltisme

de masse », qui poussent le contenu fécal du côlon vers le rectum.

Ce mouvement est si puissant chez certaines personnes que le rectum se remplit tout de suite et qu'elles ressentent le besoin d'aller à la selle quelques minutes après s'être levées, ce qu'on appelle l'« appel à la défécation ». Chez bien d'autres, en revanche, l'effet du réveil sur le côlon est moins intense et il faut le petit déjeuner pour le renforcer. L'absorption d'aliments, peu importe l'heure, fait réagir tant le côlon que l'estomac.

Cela fait ressortir l'importance d'une routine du matin. Si le besoin de déféquer s'impose avant ou après le petit déjeuner, eh bien, impossible de l'ignorer. Par contre, si le besoin est moins pressant de sorte qu'il n'oblige pas la personne à aller à la toilette et que cette dernière (plus souvent une femme) doit se dépêcher ou est dans tous ses états, alors il est probable que l'envie sera ignorée.

Favoriser un transit intestinal régulier

L'envie de déféquer risque aussi d'être ignorée si elle se fait sentir 30 minutes ou plus après le petit déjeuner. À ce moment-là, beaucoup de gens actifs ont déjà commencé leurs activités ou sont en route vers le travail, et n'ont pas accès à des toilettes. Il leur faut donc se retenir. Le besoin de déféquer disparaît et ne se manifestera de nouveau qu'après quelques heures ou même toute une journée.

Respecter l'appel à la défécation est la première mesure à prendre pour favoriser un mouvement intestinal régulier, et développer une routine du matin est la meilleure façon de pouvoir respecter cet appel. Un appel à la défécation attendu à un moment précis et auquel on répond sur-le-champ a plus de chances de survenir régulièrement. D'autre part, tout changement dans les habitudes, par exemple un voyage, peut perturber votre routine matinale et causer de la constipation pendant un jour ou deux.

Émotions

Le côlon est sans doute plus sensible aux états psychologiques et émotionnels que toute autre partie du corps. Les inquiétudes accélèrent souvent le transit intestinal, ce qui se solde par des fèces molles.

Le stress et les émotions contenues comme la crainte, la colère et le ressentiment peuvent avoir des effets très divers; certaines personnes auront un mouvement intestinal plus lent et des fèces plus grumeleuses, alors que d'autres auront des mouvements intestinaux plus fréquents et des fèces plus lâches. Beaucoup de gens stressés développent le syndrome du côlon irritable (voir la page 73) et se mettent à angoisser à propos de leur trouble, ce qui en retour dérange davantage leur fonction intestinale, surtout s'ils sont trop timides pour s'en ouvrir à d'autres.

Chose certaine, le stress, la fatigue, la précipitation et la course contre la montre qu'impose la vie moderne laissent leurs marques sur bien des côlons. Cette épreuve est rendue plus difficile encore par le silence de notre société sur les problèmes intestinaux.

Il n'est pas étonnant que des gens développent une obsession pour leurs intestins et en viennent à employer des laxatifs ou d'autres médicaments. Plus de femmes que d'hommes consultent pour ce genre de problème.

Le lien entre le cerveau et les intestins est si important que toute une section de ce livre y est consacrée (voir la page 82).

Activité physique

Bien des personnes souffrent de constipation si elles doivent garder le lit à cause d'une maladie ou d'une blessure. À l'autre extrême, il arrive que des coureurs de

marathon aient la diarrhée pendant une course. Selon une croyance répandue, l'activité physique aide à prévenir la constipation, mais il y a peu de preuves scientifiques à l'appui. Pourtant, l'activité physique procure beaucoup d'autres bienfaits et il convient de la promouvoir pour la santé.

Fibres alimentaires et amidon

De tous les aliments et boissons, seuls les fibres alimentaires, l'amidon et, à l'occasion, l'alcool agissent sur le gros intestin, du moins chez la plupart des gens. Les fibres alimentaires proviennent des parois cellulaires des végétaux et l'amidon, de leur intérieur.

Qu'ont en commun les fibres alimentaires et l'amidon ? L'intestin grêle ne les digère pas complètement, donc une partie parvient au côlon. Les fibres ne sont pas du tout digérées, alors que l'amidon l'est à 90 %. Les gens consomment cependant 10 fois plus d'amidon que de fibres, ainsi des quantités à peu près égales de fibres

et d'amidon atteignent la première partie du côlon, soit le cæcum.

À ce stade, ces substances ont la consistance d'un potage et le cæcum en reçoit de 1 à 1,5 l (de 4 à 6 tasses) chaque jour. Le côlon transforme ce « potage » en une pâte solide et spongieuse. Pour ce faire, il en retire presque toute l'eau et déclenche un processus complexe, la fermentation.

Fermentation

La fermentation consiste en une série de processus au cours desquels les bactéries du côlon séparent les grosses molécules (substances chimiques) des fibres alimentaires et de l'amidon en molécules plus petites et moins complexes. Les bactéries obtiennent ainsi l'énergie nécessaire à leur propre croissance et à leur multiplication, mais leur activité a deux sous-produits non négligeables : les acides et les flatulences.

Flatulences

Tout le monde sait ce que sont les flatulences, car tout le monde en a. Elles consistent en hydrogène et en dioxyde de carbone, et, chez certaines personnes, en méthane. Elles sont inodores; l'odeur provient de la dégradation des protéines par les bactéries. Toutefois, elles peuvent être inflammables !

Acides

Le côlon et le vinaigre ne semblent rien avoir en commun au premier abord, mais il appert que le principal acide constituant le vinaigre, l'acide acétique, est également le principal acide qui se trouve dans le côlon. Avec deux autres acides, l'acide acétique rend le côlon ascendant, endroit où se produit principalement la fermentation, si acide que bon nombre de bactéries ne peuvent y vivre; celles qui subsistent fonctionnent au ralenti. Cette acidité pourrait être l'une des défenses de l'organisme contre les bactéries nuisibles, notamment celles qui causent la dysenterie. L'un des acides présents constitue aussi une source d'énergie pour les cellules qui tapissent la muqueuse du côlon.

Bienfaits des fibres et de l'amidon

En conséquence, les scientifiques tendent à admettre l'idée que pour rester en santé, le côlon doit recevoir une grande quantité de glucides fermentescibles. Cela signifie que notre alimentation devrait comporter beaucoup de féculents plus difficiles à digérer ou beaucoup de fibres (sauf pour les personnes au côlon très sensible). L'un des bienfaits est un apport massif en acides; un autre est que les fèces deviennent plus volumineuses et plus molles, ce qui facilite leur évacuation.

L'effet laxatif des fibres est connu depuis l'Antiquité, mais à ce jour, on ne le comprend pas tout à fait. Plusieurs choses se produisent. D'abord, les fibres agissent comme une éponge et retiennent l'eau. Ensuite, elles activent les terminaisons nerveuses de la muqueuse intestinale, déclenchant ainsi les circuits électriques ou les réflexes qui contractent l'intestin. En outre, les fibres constituent un festin pour les bactéries intestinales qui prolifèrent et s'ajoutent aux fèces. En conclusion, les fibres jouent trois rôles essentiels dans le côlon, tous commençant par la lettre E : éponger, exciter et évacuer les bactéries.

Types de fibres

Les parois cellulaires des végétaux sont principalement constituées de grosses molécules appelées

« polysaccharides » (du grec *poly*, plusieurs, et de saccharides, sucre). Les polysaccharides sont formés de minuscules cellules de glucose liées par leurs extrémités. L'amidon aussi, mais dans son cas les liaisons entre les glucides se défont facilement. Dans le cas des polysaccharides autres que l'amidon, les liaisons du sucre sont difficiles à défaire; les bactéries y parviennent, mais pas les enzymes de l'appareil digestif.

Certains polysaccharides autres que l'amidon ressemblent à de longs fils ou filaments. La cellulose est le meilleur exemple. Le coton est presque de la pure cellulose. Certains polysaccharides autres que l'amidon, en fait la plupart, ont une structure arborescente, ce qui signifie qu'ils agissent comme des gelées. La pectine des fruits, qui sert à préparer les gelées, est un exemple bien connu.

Sources de fibres

Tous les aliments d'origine végétale contiennent des fibres, pour autant qu'on ne les transforme pas trop. En

fait, les seuls aliments à base végétale sans fibres sont les huiles, les sucres et les sirops. Toutefois, une grande quantité de fibres est éliminée durant la mouture de la farine et du riz blanc ainsi que dans la confection de la fécule et des flocons de maïs.

Les graines sont les meilleures sources de fibres alimentaires qui soient si vous conservez leur enveloppe. Ainsi, parmi les aliments riches en fibres figurent le pain de blé complet et les aliments confectionnés à partir de farine complète, les céréales du petit déjeuner complètes, les noix, les pois, les haricots et les lentilles.

Les fruits et les légumes sont principalement composés d'eau, donc ils contiennent peu de fibres par rapport à leur masse. Cependant, une consommation sensée de fruits et de légumes favorise un apport plus qu'adéquat en fibres.

Laxatifs

Les tableaux qui indiquent le contenu en fibres de divers aliments renseignent peu sur leur effet laxatif. Les gens

ont différentes réactions aux aliments, et les aliments ont divers effets en fonction du mode de préparation et de cuisson, ou encore de leur fraîcheur ou de leur maturité. Par conséquent, il vaut mieux s'en tenir aux principes suivants afin d'obtenir la quantité de fibres recommandée : limitez votre consommation d'huiles, de sucres et de sirops (et de gras animaux) et augmentez votre apport en aliments d'origine végétale qui sont peu ou pas transformés.

Le côlon de certaines personnes requiert davantage de fibres que ce que leur alimentation, même à base de céréales de blé complètes, peut leur apporter. Afin d'éviter la constipation, ces personnes doivent prendre des suppléments riches en fibres tels que la graine de lin ou le son (voir « Glossaire » à la page 118). Le son est vendu sous différentes formes, dont certaines sont savoureuses. Le son naturel et le Trifyba sont les types les plus efficaces.

Une façon simple, agréable et économique d'avaler du son naturel est de l'incorporer au gruau d'avoine, à un müesli ou à d'autres céréales du petit déjeuner. Le son se mélange bien aussi dans les soupes épaisses, la compote de pommes, le riz et le yaourt, ainsi que dans le jus d'orange pressé. Mais n'allez pas saupoudrer de son sur une assiette bien présentée !

On trouve du son naturel dans les magasins d'alimentation naturelle, dans certains supermarchés, voire à la pharmacie.

Excès de fibres

Comme pour n'importe quoi, il est possible de faire des excès et d'absorber trop de fibres. Certains aliments riches en fibres ne conviennent pas à certaines personnes, causant des ballonnements et de l'inconfort, ou provoquant de la diarrhée. Ces personnes devraient faire preuve de bon sens et essayer un autre aliment.

Si vous êtes l'une de ces personnes, assurez-vous de laisser le temps à vos intestins de récupérer avant d'essayer un nouvel aliment riche en fibres. Un apport accru en fibres a chez tout le monde l'effet de causer

plus de flatulences, mais heureusement, cet effet secondaire diminue souvent après quelques semaines.

Une augmentation trop rapide de votre apport en fibres peut aussi causer des problèmes. Lorsque vous devez changer votre alimentation, faites-le graduellement afin que vos intestins aient le temps de s'y habituer. Si vous voulez consommer du son naturel, commencez avec une petite quantité, disons une petite cuillerée par jour, et augmentez votre apport graduellement sur deux à quatre semaines jusqu'à ce que vous obteniez l'effet désiré.

Quand consulter?

Vous devriez consulter votre médecin si vous devez prendre plus de six cuillerées de son par jour afin de trouver des solutions de rechange. Si le son naturel ne vous sied pas, mangez du son sous d'autres formes, comme du pain enrichi de son, des biscuits, des céréales (il y en a plusieurs marques) ou même des comprimés de son.

Consultez votre médecin si aucune de ces formes ne vous convient.

Mon apport en fibres est-il suffisant ?

Les gens demandent souvent comment ils peuvent savoir s'ils consomment suffisamment de fibres. La réponse est simple : observez vos fèces chaque jour pendant une semaine. Si elles sont de type 4, 5 ou 6 (voir « Échelle de Bristol » à la page 23), vous en consommez suffisamment, peut-être trop. Si, en revanche, elles sont du type 3 ou moins, il serait préférable d'accroître votre apport en fibres pendant quelque temps, au moins jusqu'à ce que vos fèces deviennent de type 4.

Quantité de fibres dans certains aliments

Catégorie de l'aliment et portion	Quantité moyenne de fibres, en grammes	
	par portion	par 100 grammes
Céréales du petit déjeuner		
Céréales à base de son (42 g)	10,5	25,0
Flocons de blé et biscuits de filaments de blé (42 g)	5,0	12,0
Céréales de type müesli, d'avoine ou croquantes (70 g)	5,0	7,0
Riz soufflé et flocons de maïs (28 g)	2,0	7,0
Pain (70 g = 2 tranches) Pain de blé complet ou de seigle	6,0	8,5
Pain de grains entiers, brun ou malté	3,5	5,0
Riz et pâtes (56 g secs) Riz brun	2,5	4,5
Pâtes complètes	5,5	10,0

Quantité de fibres dans certains aliments

Catégorie de l'aliment et portion	Quantité moyenne de fibres, en grammes	
	par portion	par 100 grammes
Légumes (113 g)		
Épinards	7,0	6,0
Grains de maïs sucré (99 g)	6,0	6,0
Légumes feuillus verts, brocolis et haricots verts	3,0	3,0
Légumes racines : carottes, panais et rutabaga, par exemple	3,0	3,0
Salade et autres légumes aqueux : laitue et concombre, par exemple	jusqu'à 2,0	jusqu'à 2,0
Pommes de terre :		
cuite au four avec pelure (200 g)	4,0	2,0
frites (140 g)	1,5	1,0
bouillies ou en purée (113 g)	1,0	1,0
Fruit		
Fruits séchés (56 g)	9,0	17,0
Noix (50 g)	4,5	9,0
Fruits frais - 1 gros morceau (170 g)	4,0	2,5
Fruit à chair tendre, fraises, abricots, par exemple (113 g)	2,0	2,0
Légumineuses (113 g, cuites)		
Pois	13,5	12,0
« Fèves au lard »	10,0	7,0
Haricots de Lima, haricots rouges, lentilles	7,0	6,0

Reproduit avec l'autorisation de *Which?*

POINTS CLÉS

■ Essayez d'adopter une routine matinale; c'est ce qu'il y a de mieux pour les intestins.

■ Les intestins sont aussi sensibles au stress et aux changements.

■ Une alimentation riche en fibres favorise :

- des fèces plus volumineuses et plus faciles à évacuer;

- une production accrue d'acides protégeant contre les maladies dans le côlon.

■ Les fibres proviennent des parois cellulaires des végétaux et on les obtient en consommant des aliments d'origine végétale non transformés.

Problèmes possibles

Soulagement ou frustration ?

Quand tout va bien, aller à la selle est un des petits plaisirs de la vie. Comme lorsqu'on se gratte, on élimine une source d'inconfort et on ressent une vague impression de soulagement. Dans le meilleur des cas, chacun vivrait cette expérience brève, mais agréable, une ou deux fois par jour, soit au lever ou après le petit déjeuner et peut-être après un autre repas. La défécation serait un événement prévisible ne demandant aucun effort – vite fait et vite oublié.

La réalité est tout autre. Un sondage récent mené auprès de citadins a révélé que moins d'un homme sur deux et à peine une femme sur trois vont à la selle une ou deux fois par jour. Ce sondage avait comme particularité que les participants tenaient un journal précis de ce qui se passait derrière la porte close de la salle de bains. L'analyse de ces données a permis d'établir plusieurs faits.

Effort à la défécation

L'une des premières observations est que la défécation représentait souvent un effort. Dans la moitié des cas, les gens retenaient leur souffle et poussaient pour évacuer les fèces. Après, ils se sentaient insatisfaits, avec l'impression qu'il restait quelque chose à évacuer. Lorsque certaines femmes se sont portées volontaires pour faire un suivi pendant un mois, on a constaté que chacune d'entre elles a ressenti cette insatisfaction rectale à un moment donné durant le mois, et plusieurs l'ont notée presque chaque fois qu'elles sont allées à la toilette.

La réaction automatique dans cette situation est de continuer à pousser en espérant évacuer ce qu'il reste. Mais cela ne fonctionne pas ! Il y a sans doute beaucoup de frustration derrière ces portes closes.

Une autre raison pour laquelle les gens poussent pour déféquer est qu'ils ont l'impression d'avoir envie sans y arriver ; quand ils essaient, rien ne se passe. Bien sûr, car il n'y a rien à évacuer !

J'estime qu'il s'agit d'un problème plutôt fréquent que, curieusement, la communauté médicale ne reconnaît pas comme un symptôme. Peu importe, cette sensation renforce l'impression générale que la défécation est à la fois imprévisible et inconfortable, au mieux, une nuisance et au pire, un cauchemar.

Pourquoi les problèmes intestinaux sont-ils si courants ?

Il est étrange que cette impression soit répandue. Aucune autre fonction corporelle (à l'exception peut-être des menstruations) ne suscite autant de difficulté ou de détresse. Vous respirez sans y penser (sauf peut-être après des exercices vigoureux); vous mangez et buvez de façon automatique ou avec plaisir, et vous urinez sans y réfléchir. Pourquoi devrait-il en être autrement de la défécation ?

Les raisons sont multiples et il est important de bien les comprendre afin de saisir ce que sont le syndrome du côlon irritable (SCI) et les autres petits malaises décrits ci-après.

Arriver à en parler

La défécation est la fonction corporelle qu'on n'aborde jamais en public, encore moins la montre-t-on à la télévision. Si on en parle, c'est pour s'en moquer ou en rire. En raison de cette attitude, il est très difficile pour les personnes atteintes d'un problème intestinal, ou qui pensent l'être, de s'en ouvrir à quelqu'un. La peur du ridicule fait des merveilles pour couper les conversations, comme les silences gênés.

Un autre problème qui empêche de parler de la défécation est le manque de précision des expressions qu'on emploie pour la désigner. Supposons qu'une personne décide de consulter son médecin pour lui confier son problème. Que dit-elle ? Le plus souvent, elle utilisera une expression vague telle que : « J'ai de la difficulté à aller à la toilette. »

Un directeur d'école à la retraite, qui aurait dû en principe être à l'aise pour s'exprimer, m'a déjà dit lors d'une consultation : « Docteur, j'ai de la difficulté à produire quoi que ce soit de sérieux avec mes intestins. » Après que je lui eus posé plusieurs questions, il a admis qu'il voulait dire qu'il devait forcer pour déféquer. Il était

sans doute embarrassé de dire cela crûment, mais il est aussi possible qu'il n'ait pas su comment exprimer son problème en mots. Un autre patient bien éduqué, un avocat à la retraite, souffrait de diarrhée. Quand on lui demanda de décrire son malaise par écrit, il écrivit : « Fonction rebelle du canal alimentaire. » La plupart des gens qui ont la diarrhée disent qu'ils ont un malaise gastrique ou intestinal. Cela peut vouloir dire de nombreuses choses.

Votre médecin doit le savoir

Supposons que le médecin a établi que son patient souffre d'un problème lié à la défécation. Comment se déroule la consultation ? Selon toute probabilité, plutôt mal, je crois.

Lorsque le patient dit qu'il a de la difficulté à aller à la toilette, il peut vouloir dire quatre choses différentes :

• Je dois forcer pour déféquer.

- Je ne ressens pas l'envie de déféquer aussi souvent que je pense que je devrais (cette envie se nomme l'« appel à la défécation »).

- J'ai de fausses alertes, c'est-à-dire que je pense que je dois déféquer, mais il ne se passe rien.

- Après la défécation, j'ai l'impression qu'il reste des fèces dans mon rectum.

Pourquoi faut-il donner autant de détails ?

Il est important que le patient sache communiquer son problème au médecin, car les deux premiers des symptômes qui précèdent, soit l'effort à la défécation ou une fréquence inadéquate, signifient en général que les fèces sont anormalement petites et dures, autrement dit que le patient souffre de constipation. Les deux derniers symptômes peuvent être des conséquences de la constipation, bien qu'ils révèlent plus souvent un rectum irritable (voir « Syndrome du côlon irritable » à la page 73). Le rectum peut devenir irritable en raison d'une inflammation (rectite ou proctite) à cause du syndrome du côlon irritable.

Il y a donc trois possibilités distinctes. Les distinguer est une tâche très délicate, parce que le traitement de la constipation ne soulage pas la rectite et peut même aggraver le syndrome du côlon irritable.

Diagnostics problématiques

J'aimerais bien pouvoir dire que tous les médecins sont en mesure de distinguer ces problèmes, mais ce n'est malheureusement pas le cas. Les manuels de médecine ne traitent à peu près pas des fèces et de la défécation. Qui plus est, on n'enseigne presque rien aux étudiants en médecine sur ce qui est normal et ce qui ne l'est pas. Il est très rare d'entendre des médecins, voire des spécialistes, discuter de ces sujets.

Il existe des symptômes intestinaux qui n'ont pas encore de nom et d'autres dont la définition varie d'un dictionnaire ou d'un manuel à un autre. Cette situation déplorable provient du fait que peu d'études scientifiques ont été menées dans le domaine des fèces et de la défécation. Cette branche de la médecine demeure sous-développée.

Symptômes des troubles intestinaux

Les intestins malades ou perturbés se manifestent de différentes façons :

- douleur abdominale;

- douleur rectale ou anale;

- sensation de ballonnement ou gonflement de l'abdomen;

- évacuation des fèces difficile;

- fèces dures;

- défécation moins fréquente;

- défécation plus fréquente;

- fèces molles ou liquides;

- sensation de ne pas avoir vidé son rectum;

- besoin urgent de déféquer;

- présence de sang dans les fèces;

- présence de mucus dans les fèces;

- grosseur au niveau de l'anus.

POINTS CLÉS

- Une défécation facile et régulière est un plaisir dont chacun se voit privé au moins à quelques occasions au cours de sa vie.

- La gêne qui entoure le sujet des problèmes intestinaux complique le diagnostic et l'intervention des médecins.

- Certains problèmes peuvent découler :
  - de la constipation;
  - d'une inflammation du rectum;
  - du syndrome du côlon irritable (SCI);
  - de maladies graves et plus rares.

Constipation

Définition

« Constipation » est un mot que tout le monde comprend, mais qui demeure difficile à définir. On décrit souvent la constipation comme un symptôme, mais il s'agit au mieux d'un groupe de symptômes qui varient d'une personne à une autre et qui peuvent dépendre d'autres causes. Il semble que la meilleure définition soit l'état dans lequel il est clair et mesurable que deux choses ne fonctionnent pas bien : la production de fèces est trop faible et le transit intestinal est trop lent. Trop

faible et trop lent. Malheureusement, cette définition ne sert à rien dans la vie quotidienne.

Comment reconnaître la constipation

Mesurer la quantité de fèces évacuées et la vitesse de défécation avec exactitude est impossible. Heureusement, une troisième caractéristique de la constipation est objective, mais également facile à observer : il s'agit de la forme et de l'apparence des fèces. En cas de constipation, les fèces sont de petits amas solides, comme le montre l'échelle de Bristol à la page 23.

Il y a cependant un paradoxe. La plupart des gens qui produisent des fèces de type 1 ou 2 ne présentent pas de symptômes de constipation et ne se considèrent pas comme constipés. Ils le sont, mais ils ignorent qu'ils le sont. D'autre part, beaucoup de personnes sont convaincues de souffrir de constipation alors que ce n'est pas le cas. Elles en présentent des symptômes, soit un effort à la défécation, des appels à la défécation improductifs, la sensation qu'il reste des fèces à évacuer, de la douleur abdominale et des ballonnements, mais ces symptômes sont plutôt la manifestation du syndrome du côlon irritable (voir la page 73).

Outre la forme des fèces, le seul indicateur fiable de constipation est une faible fréquence de défécation. Toute personne qui va à la selle moins de trois fois par semaine a un transit intestinal lent. Des mouvements intestinaux plus fréquents ne garantissent cependant pas que la vitesse du transit est normale. Une personne peut évacuer des fèces chaque jour, mais qui auraient dû être excrétées trois jours plus tôt ! Il y a même des gens qui passent de petites fèces rondes plusieurs fois chaque jour et croient qu'ils ont la diarrhée, alors qu'il s'agit de constipation et d'un côlon irritable.

Est-ce un problème courant ?

La constipation survient plus fréquemment chez la femme que chez l'homme. Elle est pire durant une grossesse ou juste avant les règles, alors que les hormones sexuelles féminines sont à leur taux le plus élevé dans le sang. Les cas de constipation grave et chronique sont quasi inexistants chez l'homme, mais ce problème touche environ une jeune femme sur 200.

On croit en général que les cas de constipation augmentent avec l'âge, mais c'est faux. Ce sont les conditions qui accompagnent souvent le vieillissement qui causent la constipation, notamment l'immobilité et la diminution de l'apport alimentaire ou, chez les femmes, l'ablation de l'utérus (hystérectomie).

Problème de petites fèces dures

Les petites fèces ne dilatent pas le rectum suffisamment pour transmettre un signal clair du besoin de déféquer : l'appel à la défécation est faible. Et quand cet appel est faible, beaucoup de gens ne se donnent pas la peine d'aller à la toilette.

Rétention fécale

Il est mauvais d'ignorer l'appel à la défécation, car le signal s'éteint. Il se produit le plus souvent que les fèces négligées « boudent » et remontent dans le côlon où elles sèchent et rapetissent davantage. Étant plus petites, elles ont besoin d'autres fèces afin de constituer un volume suffisant pour déclencher un signal en descendant de nouveau dans le rectum. Ce renforcement prend du temps, ainsi il faut souvent plusieurs heures, parfois même une journée complète, avant de ressentir de nouveau un appel à la défécation. Ignorer un appel à la défécation ou y résister peut mener à de la constipation. Cela a été confirmé récemment chez un groupe de nobles volontaires !

Transit difficile

Plus les fèces sont petites, plus elles sont difficiles à évacuer. Il semble que les muscles ne parviennent pas à

Que se passe-t-il lors de la constipation?

La constipation découle principalement de fèces qui restent trop longtemps dans le côlon. Durant ce séjour prolongé, l'organisme continue d'absorber l'eau des excréments, ce qui les rend plus durs, plus secs et plus difficiles à déplacer et à évacuer.

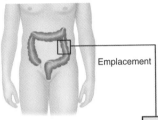

Emplacement

Normal

Des fèces volumineuses stimulent la contraction de la muqueuse intestinale

L'organisme absorbe une quantité adéquate d'eau

Les fèces sont volumineuses, molles et faciles à évacuer

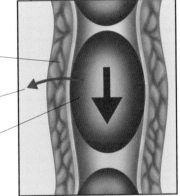

Constipation

L'absorption de l'eau des fèces se poursuit

Les fèces s'assèchent, se raffermissent et durcissent

Les petites fèces ne stimulent pas la contraction de la muqueuse intestinale

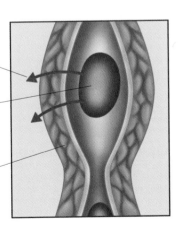

s'en saisir, comme une pièce de monnaie difficile à tenir entre les doigts. Lorsque de petites fèces prennent du volume par renforcement sur une période de 24 heures, elles peuvent se transformer en petites masses dures et sèches et, conséquemment, être difficiles à évacuer. Elles risquent alors de déchirer la muqueuse du canal anal, causant de la douleur et des saignements.

Effort à la défécation et hémorroïdes

L'effort à la défécation, c'est-à-dire le fait de retenir son souffle et de pousser vers le bas, représente souvent le seul moyen d'évacuer les fèces en petits amas. Attention ! Si vous forcez trop fort ou trop longtemps, vous risquez aussi de pousser à l'extérieur de l'anus les coussins mous qui tapissent le canal anal. Ce sont les hémorroïdes (voir la page 100). À l'occasion, il peut se produire un prolapsus rectal, c'est-à-dire une extériorisation par l'anus d'une partie de la paroi du rectum. Il faut donc éviter, ou du moins limiter le plus possible, l'effort à la défécation.

Prolapsus rectal

Un prolapsus rectal léger est particulièrement troublant, car, puisqu'il se trouve à l'intérieur du canal anal, on peut avoir la sensation qu'il y reste des fèces. Si une personne continue de pousser, elle peut aggraver la situation. Cela peut expliquer pourquoi les personnes qui ont de petites fèces n'ont jamais la sensation d'avoir tout évacué.

Que faire dans le cas de petites fèces en amas

Mieux vaut prévenir que guérir. Il y a plusieurs choses à faire si vous avez de petites fèces en amas :

1 Répondez toujours aux appels à la défécation. Autrement dit, dès que vous avez envie, allez à la toilette ! N'ignorez pas votre besoin ou n'attendez pas plus que quelques minutes.

2 Dans la mesure du possible, établissez une routine du matin afin de faire, chaque jour, les mêmes choses au même moment dans l'heure qui suit votre lever.

3 Réservez du temps le matin pour pouvoir déféquer avant de partir de la maison. Au besoin, levez-vous une demi-heure plus tôt.

4 Prenez un petit déjeuner, car c'est la meilleure stimulation qui soit pour le mouvement intestinal.

5 Assurez-vous que votre petit déjeuner est substantiel et riche en fibres. Il peut s'agir, par exemple :
- d'une bonne portion de céréales de filaments de blé, de flocons de blé ou de flocons de son;
- d'une portion de céréales de son;

- d'une portion de müesli additionné d'une cuillerée de son naturel;
- de deux tranches de pain de grains complets nature ou grillées (préférablement un pain biologique de farine moulue sur pierre).

Il est possible de compléter tous les petits déjeuners qui précèdent avec une pomme ou tout autre fruit frais (pas seulement un jus de fruits) ou encore d'une compote de fruits séchés. Les pruneaux sont particulièrement efficaces.

6 Assurez-vous que vos autres repas sont aussi riches en fibres (voir la page 40).

7 Voici une astuce pour résoudre la difficulté à déféquer liée à des fèces petites ou dures : quand vous êtes à la toilette, placez vos pieds sur une plateforme d'environ 10 à 20 cm (4 à 8 po) de hauteur pour rapprocher

vos cuisses de votre poitrine. Vous vous trouverez alors dans une position accroupie proche de la position la plus naturelle pour déféquer. Certaines personnes affirment qu'une pression ferme sur la peau derrière l'anus facilite l'excrétion de fèces dures.

Chez certaines personnes, les fèces en amas résultent d'un stress ou, plus précisément, sont un signe de tension émotionnelle. Les gens qui réagissent ainsi sont souvent des personnes obstinées et déterminées qui manifestent peu leurs émotions. Tout se passe comme si, en retenant leurs réactions émotives, elles retiennent aussi leurs réactions physiques. La réponse de leur intestin au stress consiste à ralentir le transit des excréments dans le côlon. Si vous vous reconnaissez dans cette description, vous résoudrez votre problème à condition d'apprendre à lâcher prise ou à exprimer ouvertement votre tension ou votre détresse.

Laxatifs

On appelle « laxatif » toute substance qui accélère le transit des fèces et qui les rend plus molles. Il existe aussi des purgatifs et des évacuants; il s'agit de laxatifs très puissants.

Agents gonflants

Les laxatifs les plus naturels sont ceux qui agissent à la façon des fibres alimentaires, c'est-à-dire comme des agents gonflants du volume du bol fécal. Ils sont aussi les plus sûrs, car ils ne causent pratiquement jamais de diarrhée aqueuse. Les suppléments de fibres se ressemblent tous et vous pouvez les choisir en fonction de leur goût ou de leur commodité. Plusieurs marques populaires proposent des formats pratiques comme des sachets ou des comprimés. Il est sage que les personnes qui se croient constipées essaient d'abord du son, puis un supplément de fibres, avant de consulter un médecin, un pharmacien ou un apothicaire.

Rappelez-vous que les effets des suppléments de fibres se manifestent lentement. Prenez-les pendant au moins une semaine avant de juger de leur efficacité. Si une petite dose, soit deux sachets par jour, s'avérait inefficace, essayez d'en prendre trois ou quatre sachets par jour pendant une semaine avant de laisser tomber le produit. Vous pourriez ressentir des ballonnements les premières semaines, mais cela passe avec le temps.

Laxatifs plus puissants

Il existe un éventail de laxatifs plus puissants; bon nombre d'entre eux s'inspirent de remèdes traditionnels à base d'herbes médicinales. Ne soyez pas dupe : ce n'est pas parce qu'un remède est à base d'herbes, donc « naturel », qu'il est forcément sûr. Certains ont des

Astuce pour éviter la constipation

Les astuces qui suivent vous aideront si vous êtes sujet à la constipation :

- maintenez un apport adéquat en fibres, surtout les fibres de blé;
- établissez une routine du matin, et ce dans la mesure du possible;
- prenez un petit déjeuner;
- réservez du temps le matin pour déféquer;
- n'ignorez jamais un appel à la défécation, car un appel réprimé peut mettre des heures à se manifester de nouveau;
- évitez la déshydratation ; buvez de l'eau tout au cours de la journée;
- essayez de poser vos pieds sur une pile de livres ou de briques si le siège de votre toilette est haut;
- en voyage, apportez avec vous du son ou un supplément de fibres.

effets indésirables puissants et peuvent vous rendre très malade. Il est préférable d'avaler un comprimé qui contient tous les ingrédients essentiels actifs selon une posologie standard que d'y aller au hasard avec une infusion de quelques feuilles séchées et de gousses.

Si vous ne pouvez pas consulter un médecin, mais savez que vous avez besoin d'un laxatif puissant, demandez à votre pharmacien ou à votre apothicaire quelques comprimés de séné ou de bisacodyl. Évitez les produits qui contiennent de la phénolphtaléine, y compris le chocolat. Vous devrez en revanche consulter un médecin si votre constipation persiste.

Travailler de concert avec le médecin

Si vous voyez un médecin pour régler un problème de constipation, tenez un journal de vos mouvements intestinaux pendant une semaine ou deux afin de le lui montrer. Notez la date et l'heure de chaque défécation et décrivez le type de fèces évacuées selon l'échelle de Bristol de la page 23. Si les fèces semblent appartenir à plus d'un type, notez les deux. Indiquez également dans

Rééducation
de l'abdomen

Semaine
prochaine
Un plancher
pelvien d'enfer

quelle mesure vous devez forcer, c'est-à-dire retenir votre souffle et pousser. Chronométrez-vous si l'effort excède une minute ou deux. Mentionnez à votre médecin s'il vous arrive d'avoir l'impression de ne pas avoir tout évacué et, si vous êtes une femme, rapportez les variations dans vos habitudes intestinales en fonction de la période du mois. Apportez avec vous les médicaments que vous avez pris récemment (y compris les laxatifs) ou dressez-en une liste détaillée (nom et posologie).

Constipation résistante aux laxatifs

Au cours des dernières années, des études ont confirmé que certaines femmes (très rarement les hommes) n'arrivent pas à déféquer parce qu'elles ne réussissent pas à relâcher les muscles du plancher pelvien qui gardent le canal anal fermé. Bref, elles ne se laissent pas aller. Il se peut qu'elles forcent, mais que la poussée ne soit pas dirigée vers le bas du bassin.

C'est presque comme si elles ignoraient ou rejetaient cette partie de leur anatomie. Les raisons sont probablement enfouies dans leur subconscient. En tout cas, les traitements classiques n'aident pas ces femmes. Les suppléments de fibres ne font que causer des ballonnements et les laxatifs provoquent de la douleur ou fonctionnent seulement à de fortes doses qui entraînent de la diarrhée.

Il existe une thérapie dont peuvent profiter ces femmes. Il s'agit de rééduquer leurs muscles abdominaux et pelviens afin qu'ils contribuent à l'excrétion des fèces au lieu de la combattre. Malheureusement, cette forme de thérapie est souvent uniquement offerte dans des centres spécialisés.

Cependant, la situation devrait s'améliorer à mesure que les médecins reconnaîtront la valeur de cette thérapie.

Une autre raison qui explique pourquoi certaines femmes n'arrivent pas à déféquer même si elles sentent la présence de fèces dans le canal anal est qu'à l'effort, la paroi rectale forme un renflement dans le vagin et que les fèces y restent accrochées. Cette condition peut être traitée au moyen d'une intervention chirurgicale.

POINTS CLÉS

■ Vous souffrez de constipation si vos fèces sont petites et dures, et que vous déféquez moins de trois fois par semaine.

■ Pour éviter la constipation :
  – n'ignorez jamais un appel à la défécation;
  – établissez une routine du matin;
  – rappelez-vous de consommer des fibres.

■ Les laxatifs : commencez par les suppléments de fibres qui augmentent le volume du bol fécal – les plus doux mais les plus lents – avant de passer à des laxatifs plus puissants. Consultez un pharmacien ou un apothicaire.

■ Consultez votre médecin si vous devez fréquemment prendre des laxatifs puissants.

■ Consultez votre médecin si vous souffrez de constipation sans raison apparente, surtout si vous avez plus de 40 ans.

Diarrhée

Définition

La diarrhée est l'évacuation de selles liquides, de consistance molle et fluide (voir les types 6 et 7 de l'échelle de Bristol à la page 23). C'est également le fait de ne pas aller à la toilette fréquemment sauf pour passer des selles liquides.

Aller souvent à la toilette pour évacuer des fèces solides est également un fait courant et constitue un

symptôme du syndrome du côlon irritable (SCI) qui n'a pas, à ce jour d'appellation officielle, mais que j'appelle « pseudo-diarrhée ». Il est impératif de distinguer la diarrhée de la pseudo-diarrhée puisque leurs traitements diffèrent grandement.

Une personne qui n'observe jamais ses fèces peut croire que ces deux conditions sont similaires. Pour le médecin, toutefois, l'apparence des fèces revêt une grande importance. Donc, si vous pensez consulter un médecin pour ce que vous croyez être une diarrhée, notez au préalable ce que vous observez dans la toilette.

Les selles liquides le sont du fait que leur transit s'effectue trop rapidement dans le côlon, qui a comme fonction d'absorber l'eau et les sels des excréments, ou, beaucoup plus rarement, à cause d'une maladie du côlon. Les selles liquides sont volumineuses et on sait immédiatement qu'elles ont atteint le rectum. L'appel à la défécation est si fort qu'il peut causer de la douleur.

Il devient alors impératif d'aller à la toilette sur-le-champ. Scientifiquement appelée « urgence de la défécation », cette condition cause une grande détresse en plus de nuire à la vie sociale et de diminuer l'estime de soi.

L'incontinence et les fuites dans les sous-vêtements sont des conséquences encore plus troublantes de la diarrhée. Ces problèmes surviennent lorsque du liquide s'échappe de l'anus ou, dans le pire des scénarios, lorsque la personne n'a pas le temps de se rendre à la toilette. Les muscles rectaux sont alors plus puissants que les mécanismes de fermeture de l'anus. L'incontinence est beaucoup plus fréquente qu'on le pense. Il s'agit d'une situation si dégoûtante et si embarrassante que peu de victimes osent en parler à leur médecin, à moins que le médecin pose lui-même la question… et la plupart des médecins ne posent jamais la question.

Que faire en cas de crise de diarrhée

Une selle liquide ne doit pas être un sujet d'inquiétude. J'entends par crise de diarrhée des selles liquides évacuées à répétition.

Heureusement, la plupart des crises se résorbent d'elles-mêmes. Il est préférable de s'allonger, de rester au chaud et d'éviter de consommer des aliments solides pendant quelques heures, ou encore un jour ou deux. Si le problème ne se résorbe pas après trois ou quatre heures, vous pouvez prendre un antidiarrhéique sous forme de comprimé comme le lopéramide (Imodium, Diocalm, Arret). Il est essentiel cependant de maintenir votre apport en fluides afin d'éviter la déshydratation.

L'eau s'absorbe mieux si l'on y ajoute un peu de sucre et de sel. On trouve en pharmacie des préparations de sucres et de sels en comprimés ou en poudre (Dioralyte)

avec des modes d'emploi détaillés. Dans un cas d'urgence, vous pouvez boire une limonade non gazéifiée.

En présence de vomissements répétés et de diarrhée, obtenez immédiatement des soins médicaux. Consultez un médecin si la diarrhée dure plus de quelques jours.

En outre, consultez sans tarder si :

- vos fèces contiennent du sang;

- vous faites de la fièvre;

- vos fèces sont noires comme du goudron.

Que faire en cas de diarrhée à répétition

La diarrhée épisodique est le plus souvent causée par le syndrome du côlon irritable. Autrement dit, des intestins en santé peuvent à l'occasion évacuer leur contenu plus rapidement qu'à l'ordinaire. Pourquoi ?

Il y a plusieurs raisons qui expliquent un transit intestinal accéléré, les plus communes étant le stress et l'angoisse. Bon nombre de personnes ont la diarrhée avant

un examen, une entrevue ou toute autre situation stressante. La diarrhée fait partie intégrante de la réaction de lutte ou de fuite normale, mais chez certaines personnes, elle survient un peu trop souvent.

La consommation de certains aliments ou la suralimentation peuvent aussi accélérer le transit intestinal. L'alcool peut avoir le même effet chez certaines gens, surtout la bière bue en grande quantité.

Ainsi, un transit intestinal accéléré peut avoir de nombreuses causes et le traitement doit convenir à la cause. Bon nombre de personnes réagissent mal à certains aliments ou boissons. Si vous observez que les caris épicés, le chou, la bière ou le lait vous font faire des selles liquides, vous devriez de toute évidence les éviter, à moins que vous acceptiez d'en subir les conséquences.

Ainsi, un bref épisode de diarrhée ne menace pas la santé, contrairement à la diarrhée persistante pour laquelle il convient de consulter un médecin.

Dans ce cas, prenez les mesures nécessaires pour réduire votre stress ou apprendre à le contrôler. Si vous vivez des épisodes de diarrhée et que les aliments ou boissons ne semblent pas en cause, demandez-vous s'ils correspondent à des périodes de stress de votre vie.

Il existe un grand nombre de remèdes de grand-mère contre la diarrhée, notamment l'arrow-root, les graines de lin et certaines herbes médicinales riches en tanins astringents. Certaines personnes ne jurent que par les galettes de riz et le yaourt vivant, mais ces derniers n'ont pas fait l'objet d'études scientifiques à ce jour. Chaque personne est différente, alors si un produit vous va bien et est sûr, utilisez-le ! Certaines personnes n'ont qu'à manger moins.

Ne vous en faites pas si vous continuez d'avoir des selles molles après avoir essayé toutes les solutions, car l'angoisse ne fera qu'aggraver votre situation. Prévoyez vos sorties aux moments où vous vous sentez le moins à risque afin d'éviter tout embarras.

POINTS CLÉS

- La diarrhée est l'évacuation de selles liquides; cela ne signifie pas d'aller à la toilette souvent.

- La plupart des crises de diarrhée se résorbent d'elles-mêmes.

- La diarrhée épisodique peut avoir plusieurs causes d'ordre psychologique et physique. Traitez-la de la façon qui vous convient le mieux.

- Consultez un médecin sans faute en cas de diarrhée persistante, en présence de sang dans les selles ou si les fèces sont noires.

Syndrome du côlon irritable

Définition

Les médecins regroupent sous l'appellation « syndrome du côlon irritable » (SCI) les symptômes de malfonctionnement des intestins qu'on ne peut expliquer par une maladie intestinale précise.

Quelles en sont les manifestations ?

De brefs épisodes de malfonctionnement intestinal se résorbant d'eux-mêmes surviennent assez fréquemment pour faire partie de la vie quotidienne (voir l'encadré de la page 78).

Chez certaines personnes, le trouble intestinal persiste après que la cause a disparu. Une consultation médicale leur confirmera probablement qu'elles souffrent du SCI.

Ce qui se produit est que les intestins sont devenus plus sensibles après un épisode de trouble intestinal ou à cause de la réaction psychologique à ce trouble. Les intestins, y compris le rectum, réagissent plus promptement qu'ils le faisaient normalement. Leur activité peut devenir excessive, c'est-à-dire que les muscles intestinaux se contractent plus fort qu'ils le devraient.

Le principal problème réside toutefois dans le fait que les signaux des intestins parviennent au cerveau par le biais du système nerveux et atteignent le conscient plus souvent qu'ils le devraient. Ces signaux sont perçus comme des inconforts, des douleurs, des ballonnements, une envie de passer des flatulences ou une urgence de la défécation.

Malheureusement, la personne se retrouve souvent dans un cercle vicieux. Le fait de se concentrer sur une partie du corps en particulier facilite la transmission des signaux vers le conscient. Par exemple, si vous vous concentrez sur un léger picotement dans le dos, il semble rapidement plus important. De même, vous pouvez en venir à ressentir un élancement comme une douleur. Toutes les sensations peuvent paraître plus intenses si on y porte attention, comme elles peuvent sembler moindres si on occupe son esprit à autre chose.

Les sensations en provenance des intestins sont plus difficiles à ignorer qu'un picotement ou qu'un élancement en raison de leur caractère alarmant ou embarrassant. Par malheur, l'inquiétude ou l'embarras est souvent ce qui amène une personne à se concentrer sur ses intestins, tout à fait involontairement, ce qui les rend encore plus sensibles. La relation importante entre le cerveau et les intestins fera l'objet d'un chapitre ultérieur.

Comment être certain qu'il n'y a rien de grave ?

Beaucoup de gens qui consultent un médecin en raison du SCI redoutent d'être atteints d'un cancer, de colite, d'ulcères ou du sida. Leurs craintes ne sont cependant pas fondées. Les caractéristiques des symptômes du SCI indiquent qu'il s'agit d'un trouble de fonctionnement qui ne découle pas d'une maladie grave.

1 Les symptômes apparaissent et se résorbent en quelques heures ou quelques jours. Par exemple, des ballonnements et un gonflement de l'abdomen peuvent se manifester au cours d'une journée et disparaître le lendemain matin. Dans le cas d'une maladie grave, les symptômes persistent. Il y a quelques exceptions, comme la douleur causée par les calculs biliaires, mais ces derniers ne mettent pas la vie en danger.

2 Les symptômes du syndrome du côlon irritable varient dans le temps. Ainsi, on peut ressentir la douleur à des sites différents et l'apparence des fèces peut changer d'un jour à un autre. S'il y a une maladie grave, les symptômes sont plus constants.

3 Les douleurs liées au SCI ont des caractéristiques qui confirment qu'elles proviennent des intestins. Par exemple, elles sont atténuées lors de la défécation. Il est courant d'observer un changement dans les habitudes intestinales lorsque les douleurs se manifestent; les fèces sont généralement plus molles et plus fréquentes. Paradoxalement, ce changement peut être bienvenu, par exemple chez les personnes qui ont tendance à souffrir de constipation. Il existe bien sûr des maladies graves qui peuvent entraîner des douleurs intestinales et des changements d'habitudes intestinales, mais elles sont beaucoup plus rares que le syndrome du côlon irritable et présentent d'autres symptômes tels que des saignements, une perte de poids ou des vomissements.

4 Le SCI s'accompagne souvent de symptômes de rectum irritable; on observe des appels à la défécation improductifs (« j'ai envie, mais rien ne sort »), une urgence de la défécation et la sensation qu'il reste des fèces à évacuer après la défécation. (Dans ce dernier cas, il semble naturel de continuer à pousser, mais il faudrait plutôt éviter de le faire, car cela ne fait qu'aggraver le problème.) Les maladies graves présentent rarement de tels symptômes, mais le cas échéant, on note aussi la présence de saignements.

5 Les fèces peuvent être couvertes de mucus et, à l'occasion, vous pouvez n'excréter que du mucus. Il n'y a pas de raison de vous alarmer à moins que le mucus soit très abondant et qu'il contienne du sang. Il s'agit en principe de la réaction d'un rectum irrité.

6 Certaines personnes touchées du SCI remarquent qu'elles doivent uriner plus fréquemment. C'est un signe que leur vessie est elle aussi plus sensible, comme leurs intestins. Chez la femme, l'utérus et l'appareil reproducteur peuvent également devenir plus sensibles, ce qui peut rendre les rapports sexuels douloureux.

7 D'autres personnes souffrant du SCI développent une sensibilité de l'œsophage et de l'estomac. Elles peuvent se sentir rapidement trop « pleines » après avoir mangé une portion normale ou ressentir des aigreurs d'estomac lorsqu'elles mangent des aliments qu'elles digéraient bien auparavant. D'autres, en revanche, ont toujours faim et sont sujettes à des frénésies alimentaires.

8 Bon nombre de gens se sentent fatigués et sans énergie durant un épisode de SCI. Ils ne sont pas en bonne forme et peuvent avoir des maux de tête (céphalées) et des maux de dos.

Consultation médicale

Les personnes atteintes du SCI ont une longue liste de plaintes à formuler. Cela a un bon et un mauvais côté lorsqu'elles consultent leur médecin. Le bon côté est que le nombre et la variété des symptômes énumérés permettent au médecin de déduire que, étonnamment, il est en présence d'un malfonctionnement intestinal et non d'une maladie grave. Le mauvais côté est que certains médecins trouvent les patients atteints du SCI difficiles à traiter.

Afin de rassurer leurs patients, certains médecins peuvent leur dire qu'il n'y a rien qui ne va pas avec eux. C'est inexact. Quelque chose ne va pas, mais il s'agit d'un simple malfonctionnement intestinal et non d'une maladie. Le SCI est une condition subtile et variable que même les spécialistes comprennent encore mal. Cela ne signifie cependant pas qu'il n'y a rien à faire.

Causes courantes de diarhée ou de constipation temporaire

Cause	Diarrhée	Constipation
Hommes et femmes		
Routine du matin perturbée		✓
Inquiétude, stress	✓	✓
Changement alimentaire	✓	✓
Alcool, surtout la bière	✓	
Intolérance alimentaire	✓	
Diarhée du voyageur	✓	
Régimes minceur		✓
Infections virales, gastro-entérite	✓	
Traitement aux antibiotiques	✓	
Autres médicaments	✓	✓
Femmes seulement		
Avant et durant les règles	✓	✓
Grossesse		✓

Solutions au SCI

Le traitement varie selon la gravité et les circonstances, comme pour toutes les maladies ou affections touchant l'esprit ou le corps. Pour bon nombre de personnes atteintes du SCI, surtout celles qui l'ont depuis peu, il suffit de leur expliquer ce qui ne va pas et pourquoi. Cela brise le cercle vicieux « trouble intestinal, réaction émotive, trouble intestinal accru » et les intestins peuvent revenir au calme.

Alimentation

Certaines personnes doivent modifier leur alimentation. Il faut éviter ou limiter la consommation des aliments et boissons qui provoquent les crises jusqu'à ce qu'elles se terminent. Dans le cas de tendance à la constipation, cela peut aider d'accroître la consommation d'aliments riches en fibres alimentaires (voir les pages 36-37) à moins qu'ils causent des ballonnements. Certaines personnes doivent éviter le café, car il stimule le système nerveux, y compris la petite partie qui régit les intestins.

Les personnes atteintes de diarrhée sans alternance avec des épisodes de constipation peuvent avoir une réaction à un ingrédient courant comme le blé ou les produits laitiers. Il est difficile de déterminer l'aliment responsable; si vous croyez avoir ce problème, il est recommandé de consulter un diététicien.

Médicaments

Les médicaments peuvent être utiles à court terme, mais ils ne constituent pas une solution permanente. Les plus souvent prescrits sont les suppléments de fibres qui augmentent le volume du bol fécal, comme l'ispaghula, la sterculia et la méthylcellulose, ainsi que certains médicaments qui aident la muqueuse intestinale à se détendre, comme la mébévérine, les antimuscariniques et les préparations d'huile de menthe poivrée. De nouveaux médicaments sont actuellement à l'étude.

Changements du mode de vie

Il arrive souvent que des gens souffrant du SCI améliorent leur situation en apportant des changements à leur mode de vie qui les aident à mieux se détendre et gérer le stress. L'activité physique effectuée sur une base régulière est bénéfique de même que le yoga, le tai-chi et la méditation. Pour certaines personnes, l'essentiel est de sortir des relations personnelles qui alimentent leur tension, leur colère ou leur déprime.

D'autres personnes ont simplement besoin de s'accorder du temps pour la détente et la croissance personnelle. Chaque personne a ses propres besoins, mais il est parfois difficile de faire une évaluation objective afin de déterminer le problème.

Il est souvent nécessaire de consulter un thérapeute compétent. De plus en plus d'omnipraticiens embauchent des thérapeutes bien formés. Pour atteindre la paix des intestins, il vous faut atteindre la paix de l'esprit !

POINTS CLÉS

■ Le syndrome du côlon irritable (SCI) se manifeste par un malfonctionnement des intestins qu'on ne peut attribuer à une maladie.

■ L'attitude psychologique de la personne souffrante influe grandement sur la gravité et la durée des épisodes du SCI.

■ Le traitement peut nécessiter un changement du mode de vie et de l'alimentation; les médicaments peuvent être efficaces à court terme.

■ Chacun des symptômes du SCI peut également être un symptôme d'une maladie grave. Dans le doute, consultez votre médecin.

■ Consultez votre médecin si vous perdez du poids, si vous vomissez ou s'il y a du sang dans vos selles.

Cerveau et intestins : un réseau interactif

Quel lien y a-t-il entre le cerveau et les intestins ?

Le cerveau peut affecter les intestins de bien des façons, et vice versa. Certaines sont évidentes alors que d'autres sont subtiles. Nous allons les examiner, en commençant par un sujet souvent négligé, mais si important, c'est-à-dire l'influence des intestins.

Attitude envers les intestins

Les gens ordinaires qui ne font pas partie de la communauté médicale connaissent peu les organes du corps, mais ils ont néanmoins des sentiments à leur égard. Prenez le cœur et le cerveau. Presque tout le monde est d'accord sur le fait que ces organes sont des chefs-d'œuvre de la nature et ont pour eux des sentiments positifs, voire chaleureux. De même, pensez à l'utérus. Les femmes chérissent cet organe qui est le berceau de la vie.

Les gens ont peu d'émotions envers certains autres organes comme le foie et les reins, sauf peut-être de la gratitude s'ils fonctionnent adéquatement. La vessie peut créer un certain inconfort, du type qu'on peut rapidement soulager et pardonner.

Seuls le tractus intestinal ou les intestins font toujours naître des émotions négatives.

Embarras

Les intestins attirent constamment l'attention de façon embarrassante ou stressante. Ils gargouillent dans les lieux publics. Ils dégagent des flatulences nauséabondes lorsque vous êtes avec des gens. Ils réclament votre attention de façon imprévisible, et ce, dans des endroits peu commodes. Qui n'a jamais été obligé de quitter à pas de loup une réunion sociale ou professionnelle à cause d'un besoin irrépressible d'aller à la toilette ?

Crainte de la maladie

Et tout ça se produit alors que vos intestins sont en santé et qu'ils fonctionnent normalement. Imaginez à quel point ces choses empirent lorsque les intestins sont malades ou fonctionnent mal ! Tout le monde sait que les intestins peuvent être le site de maladies graves. La plupart des gens ont entendu parler du cancer du côlon et bon nombre connaissent quelqu'un qui en est décédé. En fait, plus de 16 000 personnes en meurent chaque année au Royaume-Uni. Les germes de la peur sont présents et, dans l'esprit de bien des gens, cette crainte grandit chaque fois qu'ils souffrent d'un trouble intestinal ou qu'ils aperçoivent une trace de sang sur le papier hygiénique.

Honte

Les sentiments négatifs que sont l'embarras, la honte et la crainte sont inscrits dans les attitudes des gens envers les fèces et la défécation. Ces sujets ne sont jamais mentionnés, sauf dans le langage émotif. L'une des pires insultes consiste à traiter quelqu'un de « merde » et il n'y a rien d'aussi mortifiant que d'être exposé aux fèces d'une autre personne. La condition la plus humiliante qui soit chez une personne est l'impossibilité de contrôler sa défécation. Dès la petite enfance, on apprend à craindre les excréments et à en avoir honte. Les fèces sont le grand tabou de la société occidentale moderne.

Ignorance et déni

L'ignorance alimente la crainte. Grâce à l'invention de la salle d'eau au XIXᵉ siècle, la plupart des gens ignorent de quoi ont l'air les fèces humaines. Pis encore, certaines personnes ne savent même pas à quoi ressemblent leurs propres excréments. C'est étrange, car tout le monde reconnaît le crottin de cheval, les bouses de vache, les crottes de mouton et de chien ou les fientes d'oiseau. Les gens sont rarement mal à l'aise de voir les excréments d'autres espèces, mais sont dégoûtés, choqués ou en colère d'entendre parler des fèces humaines, et encore plus de les voir.

L'ignorance au sujet de la défécation est tout aussi grande. Jamais on ne parle de cette fonction de l'organisme comme tout ce qu'il y a de plus normal et naturel.

Les romans et les biographies décrivent toutes les activités humaines en détail, sauf celle-là. En outre, le riche vocabulaire français est plutôt limité à ce sujet.

Les termes les plus connus à ce sujet sont des mots grossiers ou des euphémismes enfantins. Il y a une conspiration linguistique du déni.

En résumé, dans la culture occidentale, les attitudes des gens envers les intestins et leurs produits s'expriment par le dégoût, l'embarras, la honte, la crainte et le déni. C'est là un puissant mélange de sentiments négatifs dans le subconscient qui doit influer sur les réactions des gens à tout trouble intestinal.

Effets du cerveau sur les intestins

Tout être humain ressent des émotions fortes qui, à leur tour, peuvent affecter toutes les fonctions corporelles. Une personne peut s'évanouir ou voir sa fréquence cardiaque s'accélérer après un choc intense. La colère fait rougir les gens, les fait même voir rouge. Certaines personnes deviennent blanches comme des draps et tremblent de façon incontrôlée. L'angoisse peut donner des chaleurs et la peur, des sueurs froides. Les genoux s'entrechoquent, la tête tourne, les yeux coulent, la bouche s'assèche, la gorge se serre et la voix devient enrouée. L'émotion provoque toutes ces réactions.

Les effets des émotions sur le corps touchent surtout les organes qui sont hors du contrôle conscient. Les intestins font très certainement partie de cette catégorie.

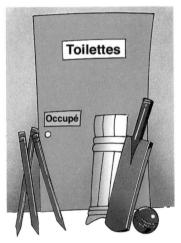

Des études menées auprès de volontaires à l'aide d'endoscopes, de ballonnets et d'enregistreurs de pression ont montré que la peur peut paralyser la partie inférieure de l'intestin et que la colère peut déclencher une activité fébrile. On le perçoit dans la vie quotidienne. L'étudiant avant un examen, le postulant avant une entrevue, l'athlète avant la compétition, le soldat avant le combat, tous risquent de ressentir une violente urgence d'évacuer des selles molles.

L'angoisse, qui représente dans ce cas l'anticipation du stress plutôt que le stress lui-même, influe grandement sur la fonction intestinale. Un autre exemple du même phénomène est l'intense douleur abdominale que ressent l'enfant juste avant d'aller à l'école ou l'étudiant qui doit passer un examen. Je connais une personne qui éprouvait de graves maux de ventre chaque fois que sa sœur lui rendait visite. Cette dernière l'irritait et la stressait outre mesure. Les maux de ventre découlaient de ses intestins rendus irritables et tendus.

Ce qui se produit dans ces situations est l'internalisation des réactions émotionnelles. Les émotions brutes sont ravalées et s'expriment vers l'intérieur du corps plutôt que vers l'extérieur. On ne serre pas les poings, on ne rougit pas; c'est l'intestin qui se resserre et le rectum qui rougit. On ne lance pas d'insultes; c'est le contenu de l'intestin qui se fait expulser violemment.

L'estomac subit le même genre de perturbation. Certaines personnes vomissent en réaction à des situations déplaisantes ou effrayantes. Une jeune femme a déjà évité un viol en vomissant sur son agresseur. Une crise de diarrhée aurait pu donner le même résultat.

Ces exemples semblent simplistes, mais sous nos apparences civilisées se cachent des êtres primitifs. Nous ne pouvons nier notre héritage animal. Nous ne pouvons pas nier les réactions de nos intestins.

Intestins et stress de la vie moderne

La civilisation nous épargne les tensions plus rudimentaires de la vie animale ou des premiers êtres humains, du moins en période de paix. Toutefois, la vie moderne engendre de nouveaux stress plus subtils et, peut-être, plus difficiles à gérer. D'abord, la société exige qu'on cache ses sentiments, sauf à des funérailles ou durant un match de football. On dit qu'on se contrôle, mais tout ce qu'on fait est de cacher ses sentiments. Les sentiments ne peuvent pas disparaître par magie et ils ont un effet sur la personne qui les masque.

Avoir à maîtriser ses réactions est une expérience stressante et ceux qui n'y arrivent pas s'attirent des reproches et de la honte. Chacun se retrouve prisonnier de sa propre personne ou de sa situation de vie. Il faut apprendre des mécanismes d'adaptation, mais ils sont rarement enseignés.

La meilleure stratégie consiste souvent à parler de ses sentiments à une autre personne, mais certaines personnes ne peuvent pas le faire. Peut-être n'ont-elles personne à qui parler, ou du moins personne qui leur manifestera de l'empathie. Beaucoup de gens, surtout les hommes, et en particulier les hommes de l'Europe du Nord, ne parlent pas de leurs émotions, car on leur a appris à nier leur existence. Ces émotions sont enfouies si profondément qu'elles sont devenues hors d'atteinte.

Le fait de taire ses émotions accroît les chances que les organes internes subissent les effets du stress. Personne n'est à l'abri « des frondes et des flèches de la fortune outrageante ». Il reste à savoir si les événements laisseront des marques externes ou internes.

Cercle vicieux des symptômes

Voyons de plus près ce qui peut se produire lorsque le mouvement intestinal d'une personne est perturbé. Il y a de nombreuses causes possibles, outre le stress, comme on peut le voir dans l'encadré de la page 78.

Si on se rappelle la profonde réaction négative que les intestins et les fèces provoquent chez la plupart des gens, on comprend facilement que, chez certaines personnes, la crainte, le dégoût ou l'angoisse engendrés par leurs symptômes pourraient perturber leur mouvement intestinal et générer encore plus de symptômes. Les symptômes qui durent peuvent renforcer les émotions négatives, notamment la peur d'avoir quelque chose de grave, et les émotions négatives qui persistent renforcent les symptômes.

Et ainsi de suite, surtout si la personne connaît un ami ou un proche qui a eu un cancer des intestins. Ce type de cercle vicieux, fréquemment observé dans les diverses branches de la médecine, peut facilement être brisé si la personne consulte rapidement un médecin ou un autre conseiller de confiance. Ces spécialistes peuvent expliquer l'origine et la signification des symptômes ainsi que rassurer la personne en lui précisant qu'il s'agit d'une condition répandue, qui s'améliore d'elle-même, du moins si on évite l'obsession.

Occasion ratée

Malheureusement, cela se produit rarement, pour plusieurs raisons. La plus évidente est que la personne atteinte de troubles intestinaux est trop timide ou trop occupée pour en parler à quiconque. Une autre raison est l'échec de la communication : la personne souffrante n'arrive pas à bien décrire ses symptômes embarrassants ou déroutants à son médecin. Ou encore, ce dernier ne

LE MARTYR CONSTIPÉ

saisit pas le problème, ou se montre brusque et anti-pathique. Et voilà, la personne vient de rater l'occasion de se faire rassurer.

C'est très triste, car le fait de constater que sa souffrance est mal comprise augmente le sentiment d'injustice, l'angoisse ou la culpabilité de la personne. Elle se répète : « Que faire maintenant ? Pourquoi le médecin ne m'a-t-il pas écoutée ? Est-ce ma faute ? Oserai-je consulter le médecin de nouveau ? » Cette nouvelle couche d'émotions ne fait que perpétuer et renforcer le cercle vicieux.

Douleur physique remplaçant l'angoisse

D'autres raisons subtiles peuvent expliquer la persistance des symptômes. Étrangement, les symptômes peuvent aider la personne à se sentir mieux ! La douleur physique est plus facile à tolérer que la douleur psychique. Si la douleur découle d'une réaction au stress, elle pourrait représenter un substitut à la colère ou à la haine et ainsi, être plus facile à supporter que l'émotion réelle. Lorsque la personne ignore ou n'élimine pas la cause de sa colère ou de sa haine, elle opte inconsciemment de souffrir physiquement au lieu de ressentir ses émotions.

La vie civilisée est truffée de conflits impossibles à résoudre – entre générations, entre employeurs et employés, entre le temps en famille et les heures supplémentaires, et ainsi de suite. De nombreux conflits naissent de la confrontation de loyautés. Les conflits génèrent du stress, et un état de stress prolongé peut se transformer en angoisse chronique ou en dépression.

Au Royaume-Uni, par exemple, se plaindre d'angoisse, de dépression ou d'autres formes de douleur mentale est moins acceptable que de parler de douleur physique ou d'autres symptômes. Les personnes aux prises avec des troubles d'ordre physique sont perçues comme des victimes de forces extérieures qui méritent de la sympathie. En revanche, les personnes qui disent souffrir de troubles psychiques sont vues comme faibles et comme n'ayant qu'à se prendre en main.

Il n'y a rien d'étonnant à ce que la douleur abdominale soit aussi courante. En tout temps, une femme sur cinq et un homme sur 10 en sont affectés. Des études ont montré que les personnes avouant avoir des douleurs intestinales sont pour la plupart des gens pour qui la vie est dure ou qui ont de la difficulté à composer avec les circonstances de la vie.

Comment la détresse cause-t-elle des symptômes intestinaux ?

La façon dont l'organisme reçoit les signaux des intestins, les analyse et y réagit est très complexe, et encore peu connue à ce jour. Le cerveau, qui enregistre toutes les sensations, y compris celles des intestins, n'est pas en mesure de régir la fonction intestinale, du moins pas directement ou consciemment. Il procède par le biais d'un autre système nerveux qui enveloppe les intestins, le système nerveux entérique (SNE). Le SNE n'a pas besoin d'aide pour contrôler les intestins; en fait, il fonctionne mieux lorsqu'il est laissé à lui-même.

Cet ouvrage n'aurait sans doute pas de raison d'être si le cerveau n'avait aucun effet sur les intestins et inversement ! Malheureusement, l'état mental exerce une influence sur les intestins et il le fait probablement en modifiant les réglages du SNE.

Les signaux ou les messages en provenance du cerveau accroissent la sensibilité du SNE, qui réagit à de faibles stimuli comme s'ils étaient importants. Les recherches actuelles semblent indiquer que les terminaisons nerveuses ou récepteurs de la muqueuse intestinale sont « hyperrégulées » (disons en état d'alerte rouge). Il pourrait aussi s'agir de changements dans les relais de l'organisme, qui laisseraient passer des signaux plus faibles que la normale, et ces signaux seraient ensuite amplifiés afin qu'ils parcourent toute la moelle épinière jusqu'au cerveau.

Il y a des relais semblables dans la moelle épinière où les signaux provenant des intestins peuvent être amplifiés si un message erroné ou encore trop de messages arrivent du cerveau. Dans les parties profondes du cerveau, les connexions peuvent s'entremêler et les signaux des intestins peuvent être interprétés à tort comme des émotions.

On ne connaît pas encore tout à fait les mécanismes neurochimiques, mais on sait qu'après une certaine période, les réglages des relais du système nerveux peuvent devenir figés, de sorte que les mécanismes qui

Système nerveux entérique

Maintenance intestinale

Contrôle nerveux des mouvements intestinaux

L'appareil digestif possède son propre système nerveux, le système nerveux entérique (SNE). L'être humain ne contrôle pas consciemment ses intestins. Cependant, ses émotions peuvent perturber leur fonctionnement, et ce, à long terme.

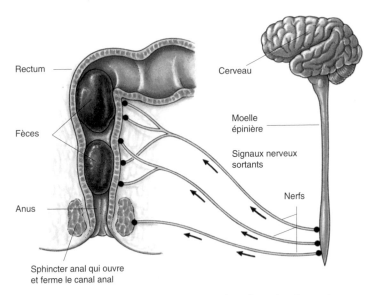

Rectum

Cerveau

Fèces

Moelle épinière

Signaux nerveux sortants

Nerfs

Anus

Sphincter anal qui ouvre et ferme le canal anal

produisent des sensations anormales dans les intestins seront toujours là longtemps après la disparition du trouble intestinal ou mental original. C'est comme si une douleur ou d'autres symptômes laissaient une empreinte sur le système nerveux. La douleur devient alors chronique et réfractaire à tout traitement.

Que faire ?

Les gens peuvent éviter les cercles vicieux et les symptômes réfractaires aux traitements en restant calme et en évitant de sauter à des conclusions négatives à l'apparition de chaque douleur abdominale, de chaque évacuation de fèces dures ou de chaque épisode de selles molles. Rappelez-vous que ces choses arrivent régulière-ment à tout le monde, qu'elles n'ont habituellement aucune signification grave et qu'elles se règlent presque toujours d'elles-mêmes. Consultez l'encadré des causes courantes de malfonctionnement intestinal à la page 78 et demandez-vous si l'une d'elles vous concerne. Le cas échéant, sachez que votre problème est temporaire.

Si aucune cause ne s'applique à vous ou si, pour toute autre raison, vous préférez consulter votre médecin, assurez-vous qu'il comprend bien les symptômes que vous lui décrivez. Assurez-vous également de bien com-prendre ses explications quant à la nature de votre trouble. Ne soyez pas embarrassé par vos symptômes et n'hésitez pas à poser des questions. Si vous n'êtes pas en mesure de parler à un médecin, confiez-vous à une autre personne en qui vous avez confiance.

Surtout, n'hésitez pas à mentionner que vous avez subi un choc, par exemple, que vous vivez des inquié-tudes ou que vous avez de la difficulté à gérer certains événements de votre vie. À raconter ses situations souvent, on les soulage.

POINTS CLÉS

- Penser à ses intestins favorise les sentiments négatifs d'embarras, de honte et de crainte, lesquelles peuvent mener au déni et à l'ignorance.

- Les réactions émotives fortes, surtout lorsqu'elles sont réprimées, peuvent perturber les intestins.

- Attention au cercle vicieux : les attitudes négatives accroissent la sensibilité nerveuse des intestins, accentuent la sensation d'inconfort intestinal, ce qui renforce les attitudes négatives.

- Une approche positive peut aider à guérir. Si vous consultez un médecin, décrivez-lui vos symptômes dans les termes les plus clairs possible.

Saignement anal

Est-ce répandu ?

Les saignements de l'anus après la défécation sont très fréquents. Lors d'un sondage mené auprès de 1 620 sujets britanniques, on a établi que 10 % d'entre eux ont vu du sang dans leurs selles au cours des récents mois. Il s'agit toutefois d'une sous-estimation. Si on interroge des personnes souffrant du syndrome du côlon irritable, qui sont plus attentives à leurs fèces que la majorité des gens, mais n'ont aucune raison particulière de saigner, on observe qu'au moins 35 % d'entre elles ont noté la présence de sang dans leurs fèces.

D'où provient ce sang ? Chez la plupart des gens, il provient du canal anal. Il y a deux causes courantes. S'il y a de la douleur dans le canal anal durant ou immédiatement après la défécation, le sang peut s'écouler d'une petite déchirure de la muqueuse de l'anus. Cela tend à se produire lorsque les fèces sont inhabituellement dures ou volumineuses. En l'absence de douleur, le sang provient probablement d'hémorroïdes.

Structures fragiles tapissant l'anus

Il y a de nombreux vaisseaux sanguins dans la muqueuse du canal anal autour de l'anus. La muqueuse est constituée de tissus mous comprenant des coussinets anaux ou des valvules très fragiles que les fèces dures ou volumineuses peuvent endommager.

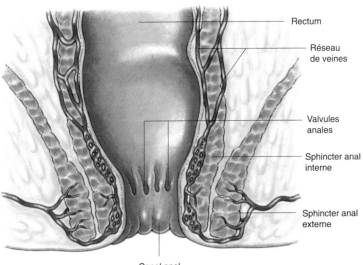

Rectum

Réseau de veines

Valvules anales

Sphincter anal interne

Sphincter anal externe

Canal anal

Hémorroïdes

Une hémorroïde est une extériorisation des coussinets veineux anaux en dehors de l'anus. Elle forme une protubérance molle et fragile qui peut facilement subir une lésion lors de la défécation. Les personnes qui ont une hémorroïde ne s'en rendent pas toujours compte, mais certaines peuvent sentir une bosse tout juste à l'intérieur ou à l'extérieur de l'anus (voir l'illustration qui suit). L'hémorroïde peut causer de l'inconfort sans forcément être douloureuse. Il peut s'en écouler un peu de mucus, ce qui a l'inconvénient de souiller les sous-vêtements et d'entraîner des démangeaisons autour de l'anus.

Types d'hémorroïdes

Le côté gauche de l'illustration montre des coussinets anaux normaux et le côté droit, des hémorroïdes internes et externes. Les hémorroïdes internes se forment dans le canal anal. Les hémorroïdes externes se développent à l'extérieur de l'anus et peuvent être visibles.

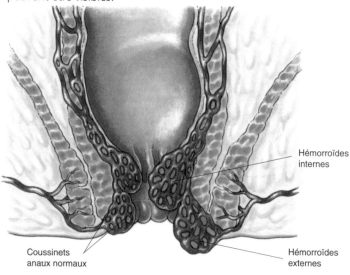

Hémorroïdes internes

Coussinets anaux normaux

Hémorroïdes externes

Les composantes internes et externes des hémorroïdes.

Les saignements provenant d'hémorroïdes internes peuvent être alarmants, mais ne sont jamais graves. Le sang peut s'écouler dans la toilette ou laisser une trace sur les fèces ou sur le papier hygiénique.

Les hémorroïdes surgissent en raison de l'effort à la défécation; elles sont donc fréquentes chez les personnes constipées ou qui forcent beaucoup en raison d'un rectum irritable, lequel leur transmet le signal erroné qu'il reste des fèces à évacuer.

Les petites hémorroïdes se résorbent souvent d'elles-mêmes après un épisode de constipation ou lorsque l'effort à la défécation cesse. Les grosses hémorroïdes ont besoin d'un traitement chirurgical. En temps normal, une injection ou l'utilisation d'un appareil à ligaturer suffisent, mais il arrive qu'on doive faire l'ablation de l'hémorroïde (hémorroïdectomie) sous anesthésie générale.

Quand un saignement est-il grave ?

Chez une minorité de personnes, c'est une maladie de l'appareil digestif située au-delà de l'anus qui provoque le saignement. Dans les cas les plus graves, il s'agit d'un cancer du côlon inférieur ou d'un cancer du rectum. Cependant, le saignement peut aussi provenir de polypes (tumeurs bénignes) ou d'une inflammation du rectum (rectite) ou du côlon juste au-dessus du rectum (colite distale). Il existe des traitements pour soulager ou guérir toutes ces conditions précédentes. Le traitement a plus d'efficacité s'il commence peu après l'apparition des symptômes.

Les saignements causés par l'une des conditions précédentes sont moins faciles à détecter que le sang provenant de l'anus. Il faut parfois examiner les fèces de près pour voir qu'il y a du sang. Il est néanmoins important que toute personne sache si les saignements ont une origine grave ou non. La meilleure façon de le savoir est de consulter un médecin dans les plus brefs délais. Il y a toutefois une exception à cette règle. Si le saignement est très occasionnel et ne survient qu'après la défécation difficile et douloureuse de fèces volumineuses et dures, alors la personne peut conclure en toute sécurité que le saignement est dû à une déchirure de la muqueuse anale.

Par prévention, les gens de plus de 50 ans devraient examiner leurs fèces de temps à autre, disons une fois par mois, afin de vérifier s'il y a présence de sang. Il ne faut cependant pas se laisser berner par un bout de tomate non digéré qui ressemble à du sang !

Rôle du médecin

Certaines personnes affligées d'un trouble intestinal remettent continuellement une consultation médicale par crainte des interventions qu'elles pourraient devoir subir. Sachez que ce sera moins pire que vous le croyez. Bien que déplaisant, l'examen en question ne devrait pas s'avérer douloureux.

Examen de l'abdomen

Le médecin palpera d'abord votre abdomen alors que vous serez couché sur le dos. Il ne donnera pas de coups, mais le sondera du bout des doigts d'abord délicatement, puis plus intensément, pour détecter toute grosseur ou zone sensible.

Examen du canal anal

Le médecin vous demandera de vous tourner sur le côté en position fœtale afin de procéder à un examen du canal anal. En premier lieu, il examinera l'extérieur de l'anus, puis l'intérieur. Pour ce faire, il portera des gants médicaux et enduira son index de gelée avant de l'insérer doucement dans le canal anal.

À ce stade, vous rendrez l'examen moins désagréable et vous simplifierez la tâche au médecin en détendant vos muscles anaux. La respiration lente et profonde pratiquée avec la bouche ouverte est efficace. Après l'examen interne, le médecin retirera son index et l'examinera pour y déceler des traces de sang. S'il y a des fèces sur le gant, le médecin fera un frottis sur un tissu de laboratoire et y ajoutera une ou deux gouttes d'une substance chimique afin de dépister toute trace invisible de sang (le cas échéant, le sang devient bleu).

Proctoscopie

Le médecin procédera à un autre examen, appelé « proctoscopie », s'il observe la présence de saignements. Il s'agit d'un examen visuel du canal anal (et du rectum inférieur) qu'on peut aussi appeler « anuscopie ». L'examen comprend l'utilisation d'une sonde de métal de 10 cm (4 po) de longueur ayant un diamètre

Non, non... Je m'en sers pour l'astronomie, pas pour la proctoscopie.

semblable à celui d'un doigt d'homme. Si vous vous relaxez bien, la sonde glissera tout aussi facilement que le doigt du médecin puisqu'elle sera lubrifiée et que son extrémité comporte un obturateur amovible arrondi.

Lorsque l'obturateur se détache de la sonde, une lumière vive permet au médecin de vérifier la présence d'hémorroïdes ou d'autres anomalies dans le canal anal. Ces dernières apparaîtront à mesure qu'il retirera lentement la sonde du canal anal. La sonde pourra vous sembler froide et étrange, mais j'insiste pour dire que l'examen devrait être indolore. En cas de douleur, informez le médecin immédiatement et il interrompra l'examen. Des tests ultérieurs pourraient alors être effectués sous anesthésie.

Sigmoïdoscopie

L'examen de routine suivant dans le cas de troubles intestinaux est la sigmoïdoscopie. Certains omnipraticiens seulement la pratiquent. Le plus souvent, l'examen est réalisé à l'hôpital par un spécialiste à qui vous serez référé. Il s'agit d'un examen semblable à la proctoscopie, mais utilisant une sonde plus longue. En général, la sonde mesure environ 25 cm (10 po) pour permettre au médecin de voir tout le rectum, et parfois plus loin dans le côlon sigmoïde (d'où l'appellation « sigmoïdoscopie »). C'est rarement possible cependant en raison de la courbe serrée à la jonction du rectum et du sigmoïde.

La sigmoïdoscopie est une procédure rapide (durant deux ou trois minutes), mais fort utile au médecin. Durant l'examen, le médecin doit pomper de l'air dans les intestins. Beaucoup de personnes ressentent alors le besoin de laisser échapper des flatulences. Si l'examen est plus désagréable que prévu, vous pourriez souffrir du syndrome du côlon irritable. Il peut s'agir du meilleur indice pour le diagnostic, donc n'hésitez pas à le mentionner à votre médecin si c'est le cas.

Pendant la sigmoïdoscopie, il se peut que le médecin prélève des tissus de la paroi rectale, soit une biopsie rectale, dans le but de l'examiner au microscope. Il se servira alors de longues pinces qui sont insérées dans la sonde. La plupart des gens ne ressentent rien, mais ceux dont le rectum est plus sensible peuvent éprouver un léger pincement.

En Grande-Bretagne, toutes ces procédures ne nécessitent pas le consentement écrit du patient, mais un tel consentement est toutefois requis avant de procéder à une endoscopie à fibres optiques, qui est un examen plus long et spécialisé, ce qui est effectué à l'hôpital par des spécialistes ou par des spécialistes en formation à l'aide d'instruments plus souples beaucoup plus longs (et beaucoup plus coûteux) appelés « sigmoïdoscopes souples » et « colonoscopes ». Ces instruments permettent d'examiner 30 % et 100 % du côlon respectivement.

Examen du côlon

La sigmoïdoscopie permet au médecin de voir toutes les anomalies du rectum et du côlon sigmoïde. Cet examen est usuel et quelque peu désagréable, mais rarement douloureux.

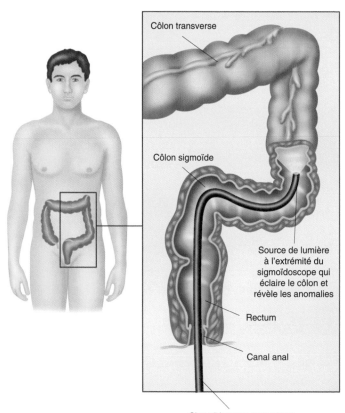

Côlon transverse

Côlon sigmoïde

Source de lumière à l'extrémité du sigmoïdoscope qui éclaire le côlon et révèle les anomalies

Rectum

Canal anal

Sigmoïdoscope permettant au médecin de voir l'intérieur du rectum et du côlon sigmoïde.

Vous recevrez des instructions précises à suivre avant de subir la procédure si vous devez passer un tel examen. Vous devrez probablement prendre un laxatif en vue de nettoyer votre côlon. Lors de l'examen proprement dit, on vous injectera un sédatif léger afin d'atténuer tout inconfort.

Lavement baryté

Un autre test plutôt courant est une radiographie appelée « lavement baryté ». Comme pour la sigmoïdo-scopie, il faut prendre rendez-vous à l'hôpital et nettoyer ses intestins à l'aide d'un laxatif au préalable. Après vous avoir fait allonger sur la table de radiographie, on vous demandera de vous tourner sur le côté et on insérera une sonde lubrifiée dans votre rectum. Au moyen de la sonde, on versera une solution de sulfate de baryum en suspension qui a la propriété de paraître sur les radio-graphies. On injectera aussi de l'air dans la sonde.

Lavement baryté

Le baryum est administré à travers une sonde insérée dans le rectum vide du patient. Le baryum est opaque et visible sur les radiographies, révélant ainsi toutes anomalies ou maladies du gros intestin.

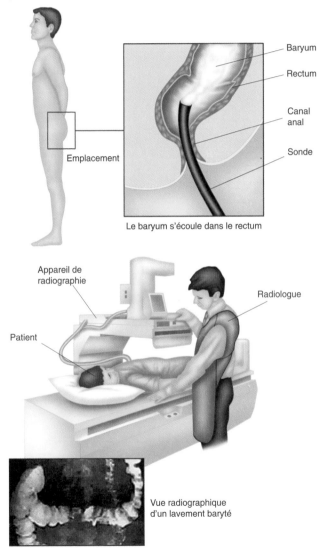

Emplacement

Baryum

Rectum

Canal anal

Sonde

Le baryum s'écoule dans le rectum

Appareil de radiographie

Radiologue

Patient

Vue radiographique d'un lavement baryté

109

POINTS CLÉS

■ Bien que le saignement anal soit un problème courant, il indique rarement un problème grave. Il peut provenir de déchirures dans le canal anal ou d'hémorroïdes.

■ Faites preuve de prudence. Consultez un médecin sans tarder à moins que le saignement constitue un événement isolé.

■ Vérifiez s'il y a du sang dans vos selles sur une base régulière si vous avez plus de 50 ans.

■ Le médecin procédera à un examen externe et interne complet. L'examen interne devrait être indolore, même si le médecin emploie un appareil (proctoscope) afin de voir à l'intérieur du canal anal.

■ Les spécialistes de l'hôpital pourraient utiliser des instruments plus longs pour divers examens (sigmoïdoscopes, colonoscopes). Ces procédures sont en principe indolores.

■ À l'occasion, le médecin peut prescrire un lavement baryté.

Troubles intestinaux en voyage

Sont-ils inévitables ?

Une perturbation des habitudes intestinales est presque inévitable en voyage, surtout avec les moyens de transport rapides d'aujourd'hui. Le trouble le plus connu est la diarrhée, mais je soupçonne que plus de gens encore souffrent de constipation.

Constipation

Aucune étude n'a véritablement établi la chose, mais beaucoup de gens n'arrivent pas à aller à la selle pendant plusieurs jours lorsqu'ils s'absentent de la maison. Bon nombre de raisons expliquent ce phénomène :

1 Un séjour à l'extérieur perturbe la routine du matin.

2 Plusieurs situations empêchent la personne d'obéir aux appels à la défécation : des toilettes différentes, difficiles à trouver ou simplement malpropres. Il y a souvent beaucoup de gens dans les toilettes publiques, ce qui rend les personnes timides mal à l'aise.

3 En raison du décalage horaire lors de longs voyages, certaines personnes voient leur horloge biologique perturbée, de même que leur rythme circadien.

4 Beaucoup de gens mangent différemment en voyage, ce qui signifie souvent une diminution de leur consommation de fibres.

Ces perturbations sont souvent inévitables. En revanche, vous pouvez prendre des mesures pour éviter la constipation durant vos déplacements.

1 Demandez une place côté allée dans l'avion ou le train ce qui vous permettra de vous rendre aux toilettes facilement.

2 Évitez de rester assis pendant de longues périodes. Arrêtez-vous toutes les heures environ lorsque vous conduisez votre véhicule.

3 Emportez des sachets d'aliments riches en fibres, notamment des craquelins de seigle et des céréales du petit déjeuner. Pour prendre moins de place, ayez

sur vous des sachets de suppléments de fibres (voir la page 60). Commencez à les prendre une journée ou deux avant votre départ.

4 Assurez-vous d'obéir le plus rapidement possible à un appel à la défécation.

Diarrhée

La diarrhée est si fréquente chez les touristes du Moyen-Orient, de l'Extrême-Orient et des tropiques qu'on la considère comme presque inévitable. On la surnomme « la tourista ». Heureusement, les épisodes ne durent pas longtemps et on peut la contrôler en évitant les aliments solides et en s'allongeant quelques heures; il est aussi possible de prendre un comprimé de lopéramide ou une préparation de kaolin. Si la condition semble plus grave, obtenez des soins médicaux le plus rapidement possible et hydratez-vous (voir la page 68).

Qu'est-ce qui cause la diarrhée du voyageur ? Il s'agit la plupart du temps d'une crise de gastro-entérite causée par un virus ou une bactérie telle qu'Escherichia coli dont l'organisme peut se débarrasser lui-même. Les conditions plus graves résultent d'une infection causée par la salmonella ou la shigella ou, parfois, le campylobacter.

Ces bactéries proviennent de nourriture ou de boissons contaminées par une personne ne s'étant pas lavé les mains ou par une source d'eau souillée par les égouts. Une méthode éprouvée pour les éviter consiste à boire de l'eau bouillie, en bouteille ou stérilisée, en plus de s'abstenir de glace, de fruits frais et de salades.

POINTS CLÉS

■ Les déplacements en soi sont souvent à l'origine de la constipation.

■ La diarrhée du voyageur pourrait résulter de la nourriture ou des boissons contaminées.

■ Vous pouvez prendre des précautions simples afin d'éviter la constipation et la diarrhée du voyageur.

Vers

Oxyures

Les enfants en Grande-Bretagne, entre autres, développent parfois des vers intestinaux, probablement en raison d'une hygiène déficiente. On peut apercevoir ces oxyures à la surface des fèces. Ils ont l'apparence de petits fils blancs qui semblent s'agiter. Ils sont inoffensifs, bien que certaines personnes ressentent des démangeaisons gênantes lorsque la femelle sort de l'anus afin de pondre ses œufs, surtout la nuit. L'une des façons de

déterminer la présence d'oxyures consiste à appliquer une bande de ruban adhésif sur l'anus, puis à l'observer au microscope afin de détecter les œufs.

Les oxyures s'éliminent facilement à l'aide d'un comprimé à base de mébendazole, qu'on obtient sur ordonnance ou en vente libre chez le pharmacien ou l'apothicaire (l'appellation du produit varie selon la région). Un seul comprimé suffit à tuer tous les vers présents dans les intestins.

Il est recommandé que tous les membres de la famille prennent un comprimé, car beaucoup de gens sont porteurs d'oxyures sans le savoir. Cependant, les femmes enceintes ou qui allaitent ainsi que les enfants de moins de deux ans doivent éviter le mébendazole. Consultez un médecin dans ces cas.

Les oxyures peuvent revenir si des personnes atteintes se grattent le postérieur, puis se mettent les doigts dans la bouche ou touchent de la nourriture sans s'être lavé soigneusement les mains. Si un membre de la famille a subi un traitement pour des oxyures, il faut que tous les autres se lavent soigneusement les mains après être allés à la toilette, et même, pour plus de sûreté, ils devront se brosser les ongles, et ce, pendant les quelques semaines qui suivent.

Une autre méthode préventive contre les vers intestinaux est de prendre un bain ou de laver ses fesses à l'aide d'un bidet dès le lever ce qui permettra d'éliminer les œufs qu'une femelle a pu pondre autour de l'anus durant la nuit.

Les oxyures, comme plusieurs autres infections, se transmettent lors de rapports sexuels qui incluent des contacts avec l'anus.

Autres types de vers

Il existe plusieurs autres types de vers intestinaux qui touchent une grande partie de la population des pays en développement. Certains d'entre eux peuvent causer une extrême faiblesse et de l'anémie (ankylostomes et ténias). La plupart de ces vers ne sont pas visibles dans les fèces et il faut procéder à des analyses en laboratoire pour les détecter. Heureusement, leur traitement est assez simple.

POINTS CLÉS

■ Les oxyures sont un embêtement, causant des démangeaisons aux fesses des enfants.

■ Les oxyures sont plutôt faciles à repérer et à traiter.

■ D'autres types de vers sont problématiques dans les pays en voie de développement.

Glossaire

Anus : Orifice inférieur de l'appareil digestif.

Lavement baryté : Radiographie pour laquelle on intro-
duit au préalable un liquide blanc épais (suspension de
sulfate de baryum) dans le côlon du patient au moyen
d'un tube. Ce type d'examen sert à dépister les signes de
colite, de polypes et autres.

Colectomie : Ablation chirurgicale du côlon.

Colite : Inflammation du côlon. Ce terme est souvent utilisé pour désigner la colite ulcéreuse.

Colonoscopie : Examen du côlon pratiqué à l'aide d'un télescope souple (ou d'un fibroscope) aussi appelé « côlonoscope » qui est inséré dans le côlon par l'anus.

Colostomie : Procédure chirurgicale qui consiste à créer une ouverture entre le côlon et la peau de l'abdomen.

Constipation : Difficulté à évacuer les fèces ou production de fèces dures et en amas (voir le texte).

Défécation : Action d'évacuer des fèces.

Diarrhée : Évacuation de fèces anormalement molles. Il ne s'agit d'une augmentation de la fréquence de la défécation, même si la fréquence augmente souvent en cas de diarrhée.

Diarrhée du voyageur : Épisode soudain et bref de diarrhée qui survient lors d'un voyage à l'étranger et est causé par des bactéries (ou des virus) ayant contaminé les aliments et les boissons.

Diverticulite : Infection autour d'un diverticule perforé.

Diverticulose : Présence de diverticules.

Diverticule : Protubérance sortant de la muqueuse intestinale, habituellement dans le côlon sigmoïde.

Fèces : Sous-produits du processus de digestion évacués par l'anus.

Fibres alimentaires : Parties indigestes d'un aliment d'origine végétale, principalement constituées de membranes cellulaires.

Fissure, fissure anale : Déchirure de la muqueuse du canal anal.

Flatulence : Expulsion d'air ou de gaz des intestins.

Hémorroïde : Enflure molle qui origine dans le canal anal et peut sortir de l'anus.

Iléostomie : Procédure chirurgicale qui consiste à créer une ouverture entre l'extrémité de l'intestin grêle (iléum) et la peau de l'abdomen.

Incontinence : Évacuation involontaire de fèces par l'anus (ou d'urine depuis la vessie).

Laxatif : Produit qui aide à amollir les fèces et facilite leur évacuation.

Maladie de Crohn : Inflammation d'une partie de l'appareil digestif, habituellement chronique (qui se développe lentement). La maladie présente de nombreuses caractéristiques qui varient grandement d'une personne à une autre. On n'en connaît pas la cause.

Polype : Petite enflure, souvent implantée sur un pédicule, croissant sur la muqueuse intestinale (ou un autre tube creux).

Rectite : Inflammation du rectum.

Rectum : Partie constituée par les derniers centimètres des intestins, juste au-dessus du canal anal.

Sigmoïde : Dernière partie du côlon, qui se trouve juste au-dessus du rectum.

Sigmoïdoscopie : Examen du rectum et du côlon sigmoïde à l'aide d'un instrument optique appelé « sigmoïdoscope » qui est inséré dans l'anus. Le sigmoïdoscope peut être un appareil rigide, en métal, ou souple, de type fibres optiques.

Son : Enveloppe extérieure des céréales, habituellement le blé (après que la cosse a été retirée par vannage). Le son est une excellente source de fibres alimentaires.

Système nerveux entérique (SNE) : Réseau de nerfs logé dans la muqueuse intestinale qui contrôle les fonctions de l'intestin.

Syndrome du côlon irritable (SCI) : Ensemble de symptômes s'expliquant par une irritabilité des intestins, surtout du côlon. Ce dernier se contracte trop fortement ou est hypersensible.

Index

Vos pages

Nous avons inclus les pages ci-après en vue de vous aider à gérer votre maladie et son traitement.

Avant de fixer un rendez-vous avec votre médecin de famille, il serait utile de dresser une courte liste des questions que vous voulez poser et des choses que vous ne comprenez pas afin de ne rien oublier.

Certaines des sections peuvent ne pas s'appliquer à votre cas.

Soins de santé : personnes-ressources

Nom :

Titre :

Travail :

Tél. :

Nom :

Titre :

Travail :

Tél. :

Nom :

Titre :

Travail :

Tél. :

Nom :

Titre :

Travail :

Tél. :

Antécédents importants – maladies/ opérations/recherches/traitements

Événement	Mois	Année	Âge (alors)

Rendez-vous pour soins de santé

Nom :

Endroit :

Date :

Heure :

Tél. :

Nom :

Endroit :

Date :

Heure :

Tél. :

Nom :

Endroit :

Date :

Heure :

Tél. :

Nom :

Endroit :

Date :

Heure :

Tél. :

Rendez-vous pour soins de santé

Nom :

Endroit :

Date :

Heure :

Tél. :

Nom :

Endroit :

Date :

Heure :

Tél. :

Nom :

Endroit :

Date :

Heure :

Tél. :

Nom :

Endroit :

Date :

Heure :

Tél. :

Médicament(s) actuellement prescrit(s) par votre médecin

Nom du médicament :

Raison :

Dose et fréquence :

Début de l'ordonnance :

Fin de l'ordonnance :

Nom du médicament :

Raison :

Dose et fréquence :

Début de l'ordonnance :

Fin de l'ordonnance :

Nom du médicament :

Raison :

Dose et fréquence :

Début de l'ordonnance :

Fin de l'ordonnance :

Nom du médicament :

Raison :

Dose et fréquence :

Début de l'ordonnance :

Fin de l'ordonnance :

Autres médicaments/suppléments que vous prenez sans une ordonnance de votre médecin

Nom du médicament/traitement :

Raison :

Dose et fréquence :

Début de la prise :

Fin de la prise :

Nom du médicament/traitement :

Raison :

Dose et fréquence :

Début de la prise :

Fin de la prise :

Nom du médicament/traitement :

Raison :

Dose et fréquence :

Début de la prise :

Fin de la prise :

Nom du médicament/traitement :

Raison :

Dose et fréquence :

Début de la prise :

Fin de la prise :

Questions à poser lors des prochains rendez-vous

(Note : N'oubliez pas que le temps que peut vous consacrer votre médecin est limité. Il est donc préférable d'éviter les longues listes de questions.)

Questions à poser lors des prochains rendez-vous

(Note : N'oubliez pas que le temps que peut vous consacrer votre médecin est limité. Il est donc préférable d'éviter les longues listes de questions.)

Notes

Notes

Notes

Centre universitaire
de santé McGill

McGill University
Health Centre

Centre de ressources McConnell
McConnell Resource Centre

Local B RC.0078, Site Glen
1001 Boul. Décarie, Montreal QC H4A 3J1

Room B RC.0078, Glen Site
1001 Decarie Blvd, Montreal QC H4A 3J1

514-934-1934, #22054
crp-prc@muhc.mcgill.ca .